Voici les nouvelles coordonnées pour joindre :

- Les Éditions de l'ÊTRE
- l'Institut de formation en relations humaines et soin énergétique
- Odette Pelletier

www.institutfrhse.com

450.504.4216

Distribué au Québec par :
Diffusion Raffin
29, rue Royal
Le Gardeur, Québec Canada
Téléphone : 450-585-9909 ou 1-800-361-4293
Télécopieur : 450-585-0066
Courriel : raffin.pst-martin@qc.aira.com

Distribué en Suisse par :
Diffusion Transat
Route des Jeunes, 4ter
Case postale 1210
1211 Genève 26 Suisse
Téléphone : 022 342 77 40
Télécopieur : 022 343 4646
Courriel : transat-diff@swissonline.ch

Distribué en Belgique par :
S.A. Vander
321 ave. des Volontaires
B-1150 Bruxelles Belgique
Téléphone : 32 2 761 12 12
Télécopieur :32 2 761 12 13

Dépôt légal :
Bibliothèque nationale du Canada
Bibliothèque nationale du Québec
Troisième trimestre 2003
Première édition
ISBN : 2-9803675-4-0

Collection
Récit d'une vie...
leçons de vie

Nishu

Le voyage initiatique d'une adoption au Népal

Patricia Allibert

ÉDITIONS DE L'ETRE

À ma fille et à Michel

À tous les enfants du Népal qui ont été si proches de moi pendant toute l'écriture de mon livre.

Un grand merci à tous mes amis népalais, français et à Anna Maria qui ont su faire preuve d'une grande patience et de beaucoup d'amour pour que je puisse vivre cette merveilleuse expérience.

Tous mes remerciements à M. le Consul et à l'attachée du Consul de l'ambassade de France en poste à Katmandu en 1998.

Table des matières

Chapitre 1

L'éveil

Nous sommes au mois de novembre de l'année 1993, et une nuit j'ai fait un rêve très étrange. J'étais assise sur le canapé de mon salon, devant moi est apparu un jeune garçon d'une dizaine d'années. Il était debout, les bras le long du corps dans une position assez rigide. Son regard était terrifiant, une forme de conscience qui vous rappelle à l'ordre.

Le matin lorsque je me suis levée, j'ai décidé d'oublier ces images perturbantes. J'étais loin de me douter que cet enfant me rendrait de nouveau visite la nuit suivante, bien que cette fois-là, il me réveillât. Il semblait vouloir me dire ou bien me montrer quelque chose que je devais faire.

L'expression de ses yeux était pesante et j'ai eu beaucoup de difficulté à me rendormir. J'ai passé le reste de la nuit à me tourner et me retourner dans mon lit, à lutter contre ce regard. À mon réveil, je ne me sentais pas du tout à mon aise et j'avais l'impression que ce garçon venait d'entrer dans ma vie par effraction. En prenant ma douche, j'ai cherché un lien entre ces deux rêves et ce que je vivais, je n'en voyais aucun. J'ai appelé Laura, une amie, pour qu'elle m'éclaire sur mes songes. Tout comme moi, elle fut étonnée par cette histoire mais elle n'a pas pu m'aider et m'a conseillé d'attendre. Peut-être qu'un autre rêve révèlerait plus d'indices.

Quelques jours plus tard, un ami m'a proposé de me joindre à un groupe dont il faisait partie pour faire un voyage au Népal, au printemps. Il m'a tendu un prospectus présentant le stûpa[1] de Bodhnath dans la vallée de Katmandu. Et là, mon sang n'a fait qu'un tour. Quelque chose en moi m'a poussée à faire ce voyage. Le Népal est entré dans ma vie à cet instant.

C'est ainsi qu'en mars 1994, je me suis retrouvée à Katmandu. Pour la première fois de mon existence, j'ai eu le sentiment d'avoir trouvé ma place, j'étais chez moi. Cette ville m'est apparu telle une perle dans un écrin de lumière. Temples et pagodes voilaient et protégeaient une vie hors du temps. Son énergie était douce et lumineuse presque envoûtante, je venais de faire une merveilleuse rencontre.

---

1 Stûpa : sanctuaire bouddhique

Nishu

Durant deux jours, nous avons sillonné Katmandu et ses environs : les temples du Durbar Square, Patan, le stûpa de Bodhnath… Nous devions suivre un guide et avaler des visites à une cadence infernale. Il allait beaucoup trop vite pour moi, j'aurais tant aimé prendre le temps de contempler toutes ces merveilles.

Ensuite, nous sommes allés à Pokhara, une petite ville située à 200 km à l'ouest de Katmandu, au bord des rives du lac Pheva. Le lendemain de notre arrivée, je me suis retrouvée à six heures du matin au bord du lac, face à un spectacle grandiose. La chaîne de l'Himalaya se dressait devant moi, une force jaillissait de la terre et, avec puissance, elle régnait sur la vallée. Ces montagnes de l'extrême révélaient un caractère sacré. En imposant respect et silence, elles se reflétaient dans les eaux du lac Pheva qui nous restituait dans une brume matinale cette image presque irréelle.

Nous avons quitté Pokhara pour le Sud du Népal. Destination : le Parc royal de Chitwan, situé dans la région du Téraï, à la frontière indo-népalaise dans la plaine du Gange. Jadis, c'était un territoire de chasse pour les rajas indiens et népalais qui y organisaient des safaris aux tigres et autres gros gibiers. Dans les années soixante, le roi Mahendra en a fait une réserve naturelle d'animaux sauvages que l'on peut observer de nos jours lors de safaris à dos d'éléphants ou en jeep.

La veille du départ, je me suis rendue dans un tout petit village de Tharus, l'une des ethnies les plus anciennes du Népal. Tout en marchant, mon regard ne quittait pas les enfants qui nous suivaient. Brusquement, l'un d'entre eux m'a attrapée par le coude. C'était un garçon d'une dizaine d'années, il s'adressa à moi en anglais.

- Peux-tu me prendre en photo, je n'en ai jamais eu pour moi ?

Je me suis sentie gênée et dérangée. J'ai dû m'obliger à le photographier tout en me raisonnant, car il me demandait si peu de chose. Ensuite, il m'a donné un petit bout de papier sur lequel il avait écrit son nom et son adresse pour que je puisse la lui envoyer.

Autour de moi, il y a très vite eu un attroupement. Tous les autres enfants voulaient être eux aussi pris en photo, je me suis détendue et c'est dans le rire qu'ils ont tous posé. Lorsque j'ai cherché des yeux le jeune garçon qui m'avait abordée, il avait miraculeusement disparu.

L'éveil

J'ai quitté le Népal après dix jours de voyage très touristique. J'étais sûre d'y revenir un jour, notre histoire ne faisait que commencer.

Lorsque mes films furent développés, j'ai passé toute une soirée à revivre mon voyage. J'avais encore une pochette de photos à découvrir, celle des enfants du parc de Chitwan. Je l'ai ouverte et en regardant la première d'entre elles, mes mains se sont mises à trembler, j'étais sans voix. La photo du jeune garçon que j'avais eue tant de mal à faire représentait exactement l'enfant de mon rêve. Je n'avais aucun doute, c'était bien lui, les bras le long du corps et ce même regard que je n'avais pu oublier. Je ne savais plus quoi penser. Je me suis levée et j'ai arpenté mon salon en long en large en me parlant à voix haute pour tenter de trouver une réponse. J'ai toujours su que le hasard n'existait pas, il y avait donc une explication bien plus profonde que la simple similitude de mon rêve avec cet enfant.

Qui était-il ?

En le prenant en photo, j'avais été perturbée ; en effet, j'avais ressenti une gêne que je ne m'expliquais toujours pas. J'ai rappelé Laura, à qui j'avais déjà confié mes deux précédents rêves, et elle a été tout aussi troublée que moi. La seule réponse que l'on ait trouvée à toutes ces coïncidences était liée à un événement de mon enfance.

En 1960, alors que je venais de fêter mon troisième anniversaire, j'avais perdu un frère qui n'a vécu que quelques heures après sa naissance. Ce frère, je l'ai cherché toute mon existence. C'est par une approche spirituelle de la vie que j'ai eu le sentiment de me rapprocher de lui.

Depuis la fin de notre adolescence, Laura et moi nous intéressions aux vies passées. À l'époque, nos connaissances à ce sujet étaient encore très limitées; néanmoins, nous étions convaincues que la réponse allait dans ce sens.

La nuit et la journée qui ont suivi furent très agitées, j'ai eu beaucoup de difficulté à me concentrer sur mon travail. J'ai montré les photos à un ami en lui racontant toute l'histoire. Il a pensé lui aussi que l'on ne pouvait pas écarter cette interprétation mais il fallait quand même rester prudent. Ma patience était mise à rude épreuve, je n'aurais pas tout de suite les réponses à cette énigme.

Ce jeune garçon s'appelait Tej, je lui ai envoyé ses photos, ainsi que celles des autres enfants, en lui demandant de les leur

11

Nishu

remettre. J'ai joint à l'enveloppe une petite carte où je lui ai écrit quelques mots. Une petite voix en moi me disait qu'il ne fallait pas rompre ce lien. Ressentant que cette rencontre devait m'amener à quelque chose qui était encore imperceptible pour moi, j'ai donc proposé à Tej de rester en contact. Environ dix semaines plus tard, la réponse est arrivée.

Tej avait douze ans, son rêve était de pouvoir aller dans une bonne école. Il était un excellent élève et, puisque ses parents n'avaient pas les moyens de lui offrir une meilleure scolarité, il me demandait de l'aider. Je ne pouvais pas rester insensible à sa lettre et surtout pas à tous ces signes du ciel qui me faisaient clin d'œil sur clin d'œil. Quelque chose en moi me poussait à avancer vers Tej.

Nous avons commencé à correspondre très régulièrement, les échanges se faisaient en anglais. Il avait une tante qui se prénommait Narayani et, à chaque courrier de Tej, elle y ajoutait un petit mot. C'est ainsi, qu'avec le temps, je suis devenue la confidente de Narayani et que dans l'une de ses lettres, elle m'a raconté l'histoire de sa famille.

En juin 1993, il y avait eu dans le Teraï d'importantes inondations et leur maison avait été entièrement détruite. Ils avaient tout perdu et, durant plusieurs mois, avaient vécu sans toit en attendant d'êtres relogés par le gouvernement. Depuis, ils vivaient à Jyamire, un tout petit village du sud du Népal dans le parc de Chitwan.

Ma relation avec ce pays était étrange. Je tissais une toile, des liens très forts se mettaient en place. Chaque fois que je rêvais du Népal, je savais que dans les deux jours qui suivaient, je recevrais une lettre de Tej ou de Narayani.

Depuis mon voyage, je lisais de nombreux ouvrages sur le bouddhisme et, dans ma recherche intérieure qui ne faisait que commencer, j'abordais la vie avec un nouveau regard. Chaque jour j'apprenais à reconnaître les signes de la vie. Je prenais conscience d'une énergie supérieure qui me guidait et dont je ressentais à certains moments sa manifestation. Il n'y avait rien de concret, tout était dans le ressenti et l'écoute intérieure. Je découvrais une nouvelle vie faite de douceur, d'amour et d'harmonie.

Un soir de mai 1994 après m'être endormie, il m'a semblé percevoir dans la profondeur de mon sommeil une lueur qui venait vers moi. Je l'ai observée sans oser l'approcher et pourtant cette forme lumineuse m'attirait. Elle était bien plus qu'une simple lumière puisqu'elle dégageait une énergie très puissante. Plus elle avançait vers moi, plus elle était immense, j'avais du mal à la voir dans sa totalité. Cette énergie n'était pas seule, elle accompagnait une petite fille et lui donnait la main. Ensemble, ils venaient me rejoindre en volant au-dessus de la vie, rien ne pouvait les arrêter. L'enfant avait trois ans, je le savais, tout était si clair. J'ai ouvert les yeux, je les voyais toujours. Je les ai refermés, ils étaient là tout près de moi. L'énergie m'a enveloppée d'un amour infini, je reconnaissais cette vibration, elle ne m'était pas inconnue. Dans ma chambre, des milliers d'étincelles de lumière ont accompagné cette manifestation, ensuite l'énergie s'est estompée et tout est redevenu peu à peu plus sombre.

Durant plusieurs jours, j'ai été dans un état de plénitude, je me repassais cette nuit comme une cassette où chaque image me nourrissait et alimentait mon bonheur.

Était-ce une manifestation angélique ?

Vraisemblablement. L'énergie avait parlé par sa vibration tout en laissant planer un certain mystère. N'ayant pas pu trouver l'explication de ce que je venais de vivre, je remettais à plus tard la compréhension de celle-ci.

Depuis le premier rêve de Tej fait quelques mois plus tôt, je constatais que ma vie prenait un nouveau sens, ma petite voix intérieure me disait que ce n'était qu'un début.

Parallèlement à mon histoire népalaise, un autre projet prenait forme en moi. J'allais avoir trente-sept ans, j'étais célibataire et sans enfant. Je désirais depuis toujours adopter une petite fille, c'était une pensée secrète dont je n'avais encore parlé à personne. Ma petite voix, qui ne me lâchait plus, me disait que c'était le moment de passer à l'action. Je ne connaissais personne dans mon entourage qui ait adopté un enfant et je ne savais pas non plus quel organisme contacter pour avoir des informations. Le hasard a fait que, dans ce même laps de temps, il y ait eu plusieurs émissions télévisées sur ce sujet et, en moins d'un mois, j'ai eu tous les éléments en main pour démarrer une procédure d'adoption.

En octobre 1994, j'ai contacté pour la première fois le Conseil Général de mon département. Ensuite, j'ai fait le parcours du futur parent adoptant pour obtenir mon agrément. J'ai vécu cette période comme une étape nécessaire pour me préparer à accueillir un enfant.

Nishu

La veille de Noël de la même année, je me suis rendue au bureau de poste de ma commune. J'avais un colis de vêtements et de fournitures scolaires à envoyer à mes enfants du Népal.

Lorsque j'ai tendu mon paquet à la jeune femme du guichet, elle a vérifié la destination puis elle s'est exclamée.

- La dame du Népal, c'est vous ? Je désirais vous rencontrer depuis que je voyais passer vos lettres pour Chitwan. Vous savez, il y a trois ans, j'ai adopté une petite fille au Népal.

Elle a pris son sac à main qui devait être à ses pieds, en a sorti son portefeuille et m'a présenté la photo d'une petite fille qui devait avoir trois ou quatre ans. Elle ne s'arrêtait pas de parler, me donnant même plusieurs renseignements sur les procédures d'adoption népalaise.

De nombreuses personnes attendaient derrière moi et commençaient à s'impatienter. Nous avons vite échangé nos coordonnées pour que je libère le guichet.

En regagnant ma voiture, j'ai repensé à ce que je venais de vivre. J'avais rencontré un 24 décembre, à la poste, une femme qui avait adopté un enfant au Népal. Elle ne me connaissait pas et, tout naturellement, m'avait parlé de l'adoption comme si sur mon front c'était écrit : " Je cherche à adopter un enfant. " Jusqu'à ce jour, je n'avais pas pensé au pays d'origine de mon enfant. Je venais d'avoir la réponse, le Népal s'inscrivait avec logique sur mon chemin. J'ai vécu la journée de Noël avec un grand bonheur. Une petite graine avait été semée dans mon cœur et je me sentais tout simplement heureuse.

En ce début d'année 1995, mes nuits ont de nouveau parlé. Je voyais dans mes rêves un bébé d'environ huit mois qui me tendait les bras en me souriant. Au fil du temps et de mes songes, l'enfant a grandi, ses cheveux sont devenus plus noirs. Une certitude grandissait en moi, j'étais sûre que c'était ma fille. Son visage exprimait un immense bonheur et elle communiquait avec moi en rayonnant. Dans cet univers si intangible, un lien très fort s'est installé entre nous deux. Par moments, j'avais quand même des doutes, tout était si peu palpable. Ce fut une période de ma vie où j'ai eu besoin de solitude et de silence pour mieux ressentir ce qui se passait en moi.

En mai, j'ai obtenu l'agrément du Conseil Général pour mon adoption. J'étais rassurée, rien ne s'opposait à ce que je retrouve ma fille. En revanche, je n'étais pas prête à aller vers elle tout de suite, il me fallait encore du temps et plus de réflexions.

Je recevais régulièrement des nouvelles de Tej, il avait très envie d'aller étudier à Katmandu et recherchait une bonne école où il serait pensionnaire. Je n'avais toujours pas de réponse sur ce qui me liait à ce garçon. La seule indication que j'ai eue m'a été donnée lors d'une méditation : " L'enfant que tu adopteras vit dans le même village que Tej. " Cela m'a semblé tellement invraisemblable que j'ai très vite écarté cette possibilité.

Le 31 décembre 1995, Martine (la jeune femme que j'avais rencontrée à la poste l'année précédente) m'a appelée.

- Le président d'une association humanitaire népalaise est en visite en France. Il nous a aidés pour notre adoption et ça serait bien que tu le connaisses. Je lui ai parlé de toi, il m'a proposé d'aller le voir à Annecy où il est hébergé chez un ami.

Un rendez-vous fut pris et, une semaine plus tard, je me suis rendue à Annecy accompagnée de Martine et de Georges, son mari. Durant tout le trajet, Martine ne m'a parlé que de l'adoption au Népal. Elle allait beaucoup trop vite pour moi, je me suis sentie bousculée. À la fin du voyage qui a duré un peu plus d'une heure, j'avais un aperçu de ce qui m'attendait lorsque je serais enfin prête à adopter.

Nous avons été très chaleureusement accueillis par Ram, le président de l'association népalaise. Il ne devait pas avoir plus de trente ans, et j'ai été très étonnée de l'entendre s'exprimer dans notre langue. La soirée s'est passée agréablement, nous avons parlé du Népal, de l'adoption et des enfants. Ram m'a proposé son aide pour mes futures démarches. Ne sachant pas du tout comment ce contact évoluerait, je décidai de laisser faire les choses. Cette rencontre avait certainement un sens que je comprendrais plus tard.

Au printemps, Tej m'a envoyé une photo de classe où il était en uniforme scolaire. Il avait beaucoup changé, son regard était moins dur et son visage plus épanoui. Si je ne pouvais pas aider plus d'enfants, j'avais au moins rendu le sourire à quatre d'entre eux : Tej, ses deux petits frères et sa sœur. Dans une autre lettre qui a suivi, Tej y avait joint cette fois une photo de toute la famille. Seule sa mère n'y apparaissait pas. La grand-mère, Narayani et sa sœur Nita étaient vêtues d'un sari et les hommes portaient des pantalons si grands qu'ils leur arrivaient presque sous les bras. Ils étaient serrés les uns contre les autres comme pour se soutenir face à la vie.

Dans ma correspondance avec Narayani, j'ai commencé à lui parler de mon désir d'adoption et elle a très vite réglé ce problème. Elle me donnait Nita, la petite sœur de Tej que je pouvais désormais considérer comme ma fille. Il a fallu plusieurs lettres pour qu'elle comprenne que Nita avait déjà une famille et n'avait donc pas besoin de moi.

Le Népal s'imposait chaque jour un peu plus à moi, il m'appelait, m'attirait vers lui comme un aimant. Une nouvelle rencontre avec ce pays avait été programmée presque malgré moi, le retour que je redoutais tant, approchait. J'en avais la peur au ventre. La nuit, je dormais très mal, mon corps se débattait et semblait ne pas être en accord avec cette pensée. Durant deux mois, j'ai été partagée entre le désir de revoir le Népal et quelque chose d'autre que je ne cernais pas encore mais qui me terrifiait. C'est cet état intérieur qui m'a conduite à faire un rêve éveillé le deux juillet 1996. J'espérais que cette séance me donne les réponses à toutes mes angoisses dont l'origine était le Népal.

Un thérapeute que je connaissais bien m'a guidée ; par une relaxation, il m'a amenée à un état de conscience modifié. Allongée, les yeux fermés, j'ai vu défiler devant moi des images.

J'étais dans une ville au Népal, une petite fille d'environ deux ans m'a demandé de la suivre. Elle marchait dans une ruelle assez sombre et m'a guidée vers une femme qui était sa mère. Cette femme m'a regardée dans les yeux et m'a dit :

- Je te confie ma fille.

L'enfant s'est ensuite mise devant elle et a levé son regard vers moi.

- Viens me chercher. Jusqu'à aujourd'hui, je suis venue à toi par les rêves; maintenant, c'est à toi de me retrouver.

En prononçant cette phrase, ma gorge s'est serrée puis s'est nouée. L'enfant en m'appelant avait déclenché en moi de fortes émotions, il fallait donc aller en chercher l'origine. Je laissai donc venir à moi une autre image qui était floue. En la décrivant, elle s'est précisée pour devenir totalement claire.

La scène se déroulait en 1860 aux Etats-Unis. Deux jeunes femmes blondes se tenaient par la taille, elles riaient et respiraient le bonheur. Elles étaient sœurs jumelles, je ressentais intensément leur complicité. Au plus profond de mon être, je savais que

L'éveil

j'étais l'une d'elle et que ma sœur jumelle n'était nulle autre que l'âme qui m'appelait maintenant depuis plusieurs mois dans mes rêves.

Ensuite, je me suis vue assise sous un arbre, pleurant la mort de ma sœur qui avait été emportée par une maladie. La douleur me déchirait, une partie de moi était amputée et personne ne pourrait remplacer cet amour si fort. Je comprenais pourquoi j'avais si peur de retrouver ma fille, qui était aussi ma sœur jumelle dans cette vie passée, et d'aller au Népal. L'approche de notre rencontre avait réveillé des mémoires du passé. Cette âme faisait partie de moi et, sans elle, je n'étais pas complète. Au-delà de deux sœurs, nous étions deux âmes jumelles. Devant l'éventualité de renouer nos liens, les cellules de mon corps vibraient et mon âme était à l'unisson avec cette révélation.

Je ne pouvais pas finir cette séance en abandonnant dans la tristesse cette femme que j'avais été. Mon thérapeute m'a guidée et j'ai eu avec elle un dialogue où je lui ai expliqué que j'allais mettre tout en œuvre pour retrouver ma fille. C'est ainsi qu'elle m'a confié un message : " L'enfant est ton guide pour aller à la rencontre de ton âme. "

La séance était terminée, j'étais calme et apaisée. Durant les jours qui ont suivi, j'ai ressenti une grande paix intérieure, je n'avais plus peur de retrouver ma fille. Me rapprocher d'elle était devenu un besoin et une nécessité.

Un soir, alors que je méditais, j'ai poussé un peu plus loin l'introspection intérieure et j'ai revu ma fille. Elle m'a tout d'abord longuement observée.

- Viens me chercher, me dit-elle.

Le lendemain, j'ai décidé d'être plus active et je suis allée à sa rencontre. Je la voyais très clairement, elle m'a souri et m'a annoncé :

- Je m'appelle Ama.

Depuis, nous n'avons cessé de communiquer. Je vivais une expérience extraordinaire, tous les soirs je lui parlais et je n'aurais raté ce rendez-vous pour rien au monde. Ama me guidait dans mon rôle de mère qui avait du mal à s'exprimer et à s'engager.

Nishu

Vers la fin août 1996, au moment de mon trente-neuvième anniversaire, je me suis sentie enfin prête pour passer à l'étape suivante. Je communiquais avec Ama depuis deux mois et, maintenant, je pouvais aller vers elle dans une plus grande réalité. J'ai écrit à Narayani et je lui ai demandé de visiter des orphelinats pour trouver une petite fille de moins de trois ans. Je lui ai aussi communiqué les coordonnées de Ram, le Népalais que j'avais rencontré à Annecy, il pourrait peut-être l'aider dans ses recherches. Ma lettre est partie le trente août, je n'attendais pas de réponse avant au moins six semaines. En attendant, j'ai continué de méditer et de communiquer avec Ama.

Quelque chose en moi semblait ne pas m'autoriser à devenir mère et je me débattais avec cette pensée à longueur de journée. Quelque fois les doutes revenaient, je me disais que j'étais folle à lier de fonctionner ainsi dans l'irréel, mais cet irréel était devenu ma réalité profonde. Lorsque les peurs disparaissaient et que j'étais à nouveau en accord avec mon chemin, je me sentais calme et sereine.

Un jour, la réponse tant attendue est arrivée. Narayani avait contacté Ram et, ensemble, ils étaient allés voir de nombreux orphelinats.

- Nous n'avons pas trouvé de petite fille de moins de trois ans, m'écrivait Narayani.

Je ne pouvais pas croire une chose pareille, ça dépassait l'entendement ! Je me demandais même s'ils avaient vraiment visité les maisons d'enfants.

J'ai vite répondu à Narayani en lui demandant de continuer ses recherches et de me tenir au courant. L'hiver approchait et je n'avançais pas, tout était bloqué. Peut-être que je délirais complètement et qu'il fallait revenir d'urgence à la réalité.

Début décembre, j'ai enfin reçu une lettre. Narayani et Ram étaient retournés à Katmandu, mais sans résultat. Cependant, Narayani me disait qu'au village il y avait une petite fille de deux ans et demi qui n'avait plus de mère et que tout le village considérait comme une orpheline. Elle avait bien un père mais il ne pouvait pas subvenir à ses besoins et l'enfant errait dans les rues toute la journée. Si je lui donnais mon accord, je pouvais l'adopter et elle m'enverrait une photo.

L'éveil

Narayani allait quand même un peu vite. Et si c'était un piège ? En recevant la photo, il me serait difficile de dire non, cet enfant ne me convient pas, j'en veux un autre. Ma décision devait se prendre sans influence, juste avec mon cœur.

Avec un ami, nous avons refait le point de tous les signes depuis mon premier contact avec Ama. Nous sommes vite arrivés à la conclusion suivante : la vie ne me proposait pas plusieurs enfants, juste un seul. Elle était apparemment orpheline et, en plus, vivait dans le même village que Tej, ce qui était encore un signe important. Après de grandes réflexions et de longues méditations, la décision s'est imposée à moi : cet enfant m'était destiné. J'ai écrit à Narayani pour lui donner mon accord.

Dans la nuit de Noël à cinq heures du matin, mon téléphone a sonné. J'ai décroché le combiné, c'était Ram qui m'appelait de Katmandu. Il voulait savoir si j'avais reçu les photos de l'enfant parce que Narayani n'avait pas encore eu ma lettre. J'en ai déduit qu'elle me les avait envoyées sans attendre ma réponse. J'ai donc confirmé à Ram de vive voix ma décision d'adopter. Il pouvait ainsi démarrer certaines démarches népalaises. Ensuite, nous avons parlé de mon voyage. Il me fallait du temps pour préparer le dossier, en partant au mois de mars ça me laissait plus de deux mois pour le constituer. Je le rappellerais plus tard pour lui confirmer le jour de mon arrivée.

Depuis trois ans, je recevais à chaque Noël un signe, un cadeau concernant mon adoption. Je ne pouvais pas me tromper, j'étais bien sur le bon chemin.

Le lendemain de Noël, mon facteur m'a remis une lettre du Népal. En l'ouvrant, mon cœur s'est serré et ma respiration s'est suspendue. J'ai sorti deux photos qui se trouvaient à l'intérieur de l'enveloppe. J'étais très émue car je découvrais ma fille pour la première fois.

- C'est elle, je sais que c'est elle, me dis-je à moi-même !

Cette phrase est sortie de ma bouche comme un cri du cœur. Aucun doute n'était possible, je la reconnaissais. Je l'ai détaillée des pieds à la tête, puis je suis revenue à son visage. C'était un véritable coup de foudre, tout mon corps vibrait. Il n'y avait pas de différence entre ce que j'avais vu et ressenti lors de mes méditations et ce que ces photos dégageaient. Tous ces mois où nous avions communiqué par télépathie n'étaient pas le fruit de mon imagination, ni un délire. Ce travail de recherche intérieure m'avait amenée à ma fille en suivant pas à pas les signes de la vie.

De son visage rond et lisse, on ne voyait que ses yeux noirs qui exprimaient une grande tristesse. Elle était vêtue d'une robe longue fleurie de couleur bleu et rose et portait à ses pieds des tongs. Ses cheveux noirs étaient coiffés et huilés comme un bébé. Son prénom de naissance était Nishu, elle avait deux ans et demi. J'ai ressenti un léger trouble en réalisant qu'elle ne s'appelait pas Ama. Ne voulant pas laisser le doute s'emparer de moi, j'ai décidé de remettre cette explication à plus tard.

J'avais deux mois pour constituer le dossier d'adoption que le gouvernement népalais réclamait. La liste des conditions pour l'adoption au Népal était très précise ; j'étais en accord avec toutes, sauf une. L'âge minimum demandé pour une femme célibataire désirant adopter un enfant était quarante ans et je ne les aurais que cinq mois après mon voyage ! J'ai envoyé une télécopie à Ram pour lui souligner ce détail. En recevant sa réponse, j'ai été très vite rassurée puisqu'il me disait ne pas être du tout inquiet à ce sujet. J'ai pu continuer la construction de mon dossier en toute confiance avec une énergie à déplacer des montagnes.

Ma réservation était faite, je partais le 21 mars. Plus j'approchais du but, plus les peurs se manifestaient, une partie de moi ne s'autorisait toujours pas à devenir mère et, en même temps, j'avais un grand désir : retrouver ma fille. Je travaillais cette dualité en méditation chaque soir. Mon guide me demandait de définir l'image mentale que je me faisais d'une mère et de me situer par rapport à elle. Durant plusieurs jours, ce fut un vrai supplice, j'appréhendais même de méditer. Et puis un soir, il m'a demandé de laisser parler mon cœur. L'image que j'avais devant mes yeux était une longue route et ma fille, bien sûr, se trouvait à l'opposé de moi. Il s'est alors placé entre nous deux et, par la suite, je ne pus articuler un seul mot. Ne voyant pas comment je pouvais me sortir de cette situation, je lui ai demandé de m'aider à mieux comprendre ce qu'il attendait de moi et voici ce qu'il m'a répondu :

- Tu me considères comme ton ennemi, je ne suis pas à tes côtés pour t'empêcher d'être mère mais pour t'aider à le devenir. Change ta pensée à mon sujet, considère-moi comme ton allié, ton partenaire, ton ami. Ensemble nous réussirons.

Je l'ai remercié de ses conseils. En méditation il m'impressionnait, j'avais en face de moi un homme autoritaire et sévère. Un soir, j'ai remarqué que je n'avais plus de nœuds dans la gorge et que je pouvais lui prendre la main. J'étais prête à lui parler, les peurs avaient disparues.

- Peux-tu m'aider à devenir mère ?

En prononçant cette phrase, cet homme, qui m'était toujours apparu vêtu de noir, s'est transformé. Ses vêtements sont devenus plus clairs et il rayonnait. Il m'a prise par la main et m'a fait signe de m'asseoir en face de lui.

- Je vais t'aider sur ton chemin à devenir mère. Pour cela, tu dois avoir confiance en toi, en moi et en ce chemin. Avoir confiance veut dire ne pas douter, se fondre sans réserve dans le grand mouvement de la vie et se laisser guider. Construire cette pensée sera un grand exercice, une transformation profonde de ton existence. La réalisation de ce projet sera ta réussite.

J'étais bien guidée et je devais continuer d'apprendre à retrouver le fil de ma vie qui me conduirait vers ma fille.

Trois semaines avant le grand départ, j'ai reçu un message de Ram par télécopieur dans lequel il m'écrivait que l'adoption n'était plus possible. De fortes tensions politiques bloquaient toutes les démarches. Sur le moment, j'ai vacillé et, puis, je me suis reprise, je ne devais pas me laisser impressionner par ce message. Le soir même, j'ai médité sur ce sujet et j'ai reçu l'enseignement suivant :

- Ce que tu vis est un test sur la confiance et un exercice sur l'illusion. La force de cette lettre n'existe que par la puissance que ta pensée lui accorde. L'exercice consiste à neutraliser l'événement qui t'a déstabilisée. Tu dois apprendre à reconnaître les signes déstabilisateurs et à ne pas te laisser entraîner dans leur énergie. Une seule pensée doit te guider, rien ni personne ne pourra t'empêcher d'aller chercher ta fille.

Ensuite, il m'a appris à dénouer chacun des mots composant ce courrier pour qu'il n'y ait plus de frein. À la fin de la séance, la lettre avait perdu toute sa force, c'était un peu comme si elle n'avait jamais existé.

Ce que je vivais dans mon quotidien était curieusement en parfaite symbiose avec l'enseignement que je recevais. J'expérimentais une nouvelle forme de vie.

Quelques jours après la réception de ce message par télécopieur, Ram m'a appelée. Au Népal, tout s'était miraculeusement arrangé et il serait à l'aéroport pour m'accueillir à mon arrivée.

Nishu

Le départ approchait, je terminais les derniers achats pour ma fille. Mon dossier pour l'administration népalaise était prêt, je n'avais plus qu'à prévenir la M.A.I.[2] pour confirmer mon départ. Lorsque j'ai eu la personne responsable du Népal au téléphone, elle m'a demandé comment j'allais procéder sur place. Je lui ai brièvement parlé de Ram et j'ai alors senti une légère hésitation de sa part. Désirant éclaircir ce trouble, je lui ai demandé si elle le connaissait.

- Oui, je l'ai rencontré lors de son dernier voyage en France. Soyez prudente parce que je ne suis pas tout à fait sûre qu'il soit honnête.

- Merci de m'avoir prévenue. J'espère que tout se passera bien.

- Au revoir et bonne chance.

Trois jours avant mon départ, j'ai rêvé à une femme indienne d'un certain âge qui était assise en lotus et flottait au-dessus d'un lit. Elle portait un sari et avait les cheveux grisonnants tirés en chignon. Le lendemain matin, j'ai reçu une lettre de Narayani, elle avait joint à son courrier une photo de la grand-mère paternelle de ma fille. C'était la femme de mon rêve. Il devenait urgent d'aller à la rencontre de mon enfant et de tous ces personnages qui me rendaient visite dans mes nuits.

Le grand jour arrivé, j'ai quitté la France pleine de peurs et d'espoirs. Angine, rhume et crise de foie, tous ces symptômes révélaient bien dans quel état émotionnel je me trouvais. Au moment de monter à bord de l'avion à l'aéroport de Francfort, j'ai été prise de panique et je me suis retournée en espérant voir une issue pour fuir au plus vite. Je n'ai pas eu le temps de trouver la solution. Les voyageurs en attente de leur embarquement formaient une longue file. En quelques minutes, ce flot m'a entraînée, poussée, happée et je me suis retrouvée dans l'avion accueillie par une charmante agente de bord népalaise.

---

2 M.A.I. : Mission de l'adoption internationale

Chapitre 2

La rencontre

Je suis arrivée à Katmandu au petit matin. Comme prévu, Ram m'attendait à la sortie de l'aéroport, je n'ai eu aucune difficulté à le reconnaître et, apparemment, lui non plus. Il s'est avancé vers moi avec un large sourire, m'a souhaité la bienvenue et nous avons pris un taxi.

Avant de rejoindre mon hôtel, nous devions passer chez lui, il tenait beaucoup à me présenter sa femme. Je le trouvais un peu moins bavard que lors de notre première rencontre. Je profitais de son silence pour respirer Katmandu et c'est d'une manière assez brusque qu'il m'a sortie de mes pensées.

- Nous ne pourrons pas entamer les démarches tout de suite. Les administrations seront fermées dès demain pour quatre jours, le Népal célèbre une fête hindoue.

Ça commençait bien ! Je n'ai pas eu le temps de lui répondre, le taxi venant de s'arrêter devant une toute petite maison. Une jeune femme balayait devant la porte, elle s'est avancée vers nous. J'ai supposé qu'elle était son épouse. Ram a fait les présentations, c'était bien sa femme. Elle m'a accueillie avec beaucoup de gentillesse et m'a invitée à prendre le thé. Je suis entrée dans le salon qui devait aussi servir de chambre à coucher. Du canapé où j'étais assise, il m'a semblé voir une autre femme au fond du couloir. J'étais sûre d'avoir aperçu Narayani. Elle n'osait pas venir se joindre à nous, j'ai dû me lever et aller la chercher. Son regard ne quittait pas le sol, il a bien fallu dix minutes pour qu'elle accepte de montrer son visage. Cela faisait bientôt deux ans que nous nous écrivions sans jamais nous être rencontrées. Aujourd'hui, ces lettres prenaient une forme humaine et nous avions besoin, elle et moi, d'un peu de temps pour nous retrouver. Je lui ai parlé, elle s'est détendue puis elle est venue boire le thé avec nous.

- Nous pouvons t'héberger à la maison durant tout ton séjour si tu le désires, me proposa Ram.

- Merci, c'est très gentil de ta part de m'offrir l'hospitalité mais je préfère loger à l'hôtel. Je ne veux pas te déranger et, puis, tu sais, je suis d'une nature très indépendante.

Nous avons rejoint le taxi qui nous attendait devant la maison. Ram et Narayani m'ont accompagnée jusqu'à mon hôtel qui

Nishu

se situait dans Thamel, un quartier au nord de Katmandu. Je l'avais choisi pour sa proximité avec l'ambassade de France. Au moment de remonter dans le taxi, Ram m'a appelée.

- On se retrouve à la réception en fin d'après-midi.

- D'accord. À tout à l'heure !

Enfin je pouvais me pauser. L'hôtel me plaisait beaucoup. Il était simple, à l'écart du centre de Thamel et il avait un joli petit jardin agrémenté de nombreuses fleurs. J'ai pris une douche pour effacer les traces de fatigue du voyage et j'ai rangé mes valises.

La température était douce à cette époque de l'année, Katmandu m'emportait déjà dans son énergie et sa lumière. Il me tardait de rencontrer ma fille, je n'avais aucune idée de la manière dont on allait démarrer la procédure.

Vers seize heures, Ram et Narayani sont arrivés, Tej nous rejoindrait un peu plus tard. Nous avons bu le thé et nous avons parlé de l'adoption.

Ram s'adressait à moi avec un ton assez dur, il semblait traqué et regardait en permanence autour de lui.

- Je ne peux pas rester plus longtemps. J'ai un autre rendez-vous. Je viendrai te voir demain soir vers vingt heures pour que l'on remplisse les dossiers. Il faut aussi que l'on organise un voyage au village pour quelques jours. Narayani t'accompagnera dans tous tes déplacements et, moi, je m'occuperai des démarches administratives.

- Merci Ram, à demain.

- Namaste[3], me répondit-il.

Je trouvais son comportement étrange, il n'était pas du tout à l'aise. L'arrivée de Tej accompagné de son oncle m'a très vite fait oublier son attitude. Curieusement, je n'ai rien ressenti de particulier lorsque Tej s'est avancé vers moi pour me saluer, aucune gêne et pas d'émotion. Il m'a présenté Krishna qui était le frère de sa mère. Cet homme qui devait avoir trente ans était discret et gentil, il m'a tout de suite proposé de m'aider dans mes démarches.

---

3 Namaste : Terme de salutation utilisé dans tout le Népal pour accueillir ou prendre congé de quelqu'un, mains jointes et en s'inclinant et qui signifie que l'ensemble de vos qualités soient bénies et protégées des dieux.

- Je travaille dans un hôtel à cent mètres de là, si tu as besoin de quelque chose, n'hésite pas.

Ce dont j'étais sûre, c'est que l'aide s'organisait tout autour de moi, je n'étais pas seule.

Nous avons parlé des études de Tej et de son avenir. Je remarquais qu'il avait de magnifiques yeux verts, ce qui était rare au Népal. Narayani était très effacée, elle ne s'exprimait que si on lui adressait la parole.

Il se faisait tard, Tej et Narayani devaient rentrer avant les coupures d'électricité qui plongeaient certains quartiers de la ville dans l'obscurité totale.

En me couchant, je pensais à Ram, quelque chose me dérangeait chez lui, je ne savais pas encore quoi mais je trouverais.

Après une bonne nuit de sommeil et un copieux petit-déjeuner, j'ai consulté mon dossier d'adoption pour en vérifier le contenu. Tout y était, j'étais rassurée. Alors que je finissais de m'habiller, on a frappé à ma porte, c'était Narayani.

- Namaste, me dit-elle en s'inclinant.

- Namaste, Narayani.

- Est-ce que je peux prendre une douche et laver du linge parce que chez Ram il n'y a pas d'eau.

Je lui ai expliqué le fonctionnement des robinets, c'était la première fois qu'elle voyait une salle de bain. Elle était encore en train de se laver que de nouveau quelqu'un a frappé à la porte. Je suis allée ouvrir, c'était Tej. Il venait lui aussi prendre une douche.

Quand tout le monde fut lavé, nous avons déjeuné et nous sommes allés ensuite marcher dans les rues de Thamel. Nous nous sommes quittés à la tombée de la nuit.

Vers vingt heures, Ram s'est fait annoncer par la réception. Il avait l'air sombre et inquiet. Il a déposé les six dossiers sur une table et nous nous sommes mis immédiatement au travail. L'expression de son visage a changé lorsqu'il m'a demandé ma date de naissance et qu'il a réalisé que je n'avais pas quarante ans.

- Pourquoi ne me l'as-tu jamais dit ? Le ton était dur et accusateur.

- Ram, je t'ai envoyé une télécopie à ce sujet et tu m'as répondu que ça ne posait aucun problème.

Sa voix est redevenue plus douce.

- Je ne change pas la date de naissance mais, au lieu de quarante ans, je vais écrire quarante et un ans. Au Népal, le calendrier officiel est le Vikram Sambat. C'est au mois d'avril que débute la nouvelle année, une année occidentale chevauche deux années népalaises. Vous êtes en 1997, ce qui correspond, selon notre calendrier népalais, aux années 2054 – 2055. Vérifier l'exactitude de ton âge demanderait un long calcul, ça nous laisse donc un certain espoir.

Ensuite, est venu le moment du choix du prénom. Lorsque j'ai annoncé à Ram que je désirais appeler ma fille Ama, il m'a regardée l'air étonné.

- Sais-tu ce que veut dire Ama ?

- Non, je n'en ai aucune idée.

Je n'allais pas lui raconter que c'était le prénom que ma fille m'avait donné lors de mes méditations.

- Ama veut dire mère, ce n'est pas un prénom.

J'étais déconcertée mais je comprenais bien qu'il n'était pas possible d'appeler ma fille Ama.

- Tu réfléchis et tu me donnes ta réponse demain.

Après son départ, je me suis allongée sur le lit et j'ai repensé à tout ce qu'il m'avait dit au sujet d'Ama.

Pourquoi ma fille avait-elle choisi de se faire appeler Ama ?

Ce qui était surprenant, c'est que ce mot existait aussi bien dans la langue népalaise qu'hindi et je ne le connaissais pas. En prononçant Ama, c'était certainement la mère qu'elle appelait et réveillait en moi. La vibration d'Ama est forte, autant que celle de mère dans notre langue. Je me suis endormie avec le prénom de naissance de ma fille, celui qu'elle garderait.

Ram m'a appelée dans la matinée pour me demander de préparer une valise, nous partirions le lendemain très tôt pour le village. Il avait trouvé un taxi qui avait accepté de descendre à Chitwan.

Ram et Narayani sont venus me prendre à six heures du matin à mon hôtel. Une seule route dessert le Sud du Népal et elle n'est pas toujours en bon état. Pour se rendre à Jyamire, il fallait compter à peu près quatre heures de voyage pour parcourir les cent vingt kilomètres qui nous séparaient de Katmandu.

À mi-chemin, nous avons fait une halte. Ram, Narayani et le chauffeur ont pris leur premier repas de la journée, du dal bhat. C'est un mélange de riz bouilli que l'on mouille avec de la soupe de lentille, l'ensemble est accompagné d'un curry de légumes.

Lorsque nous avons repris la route, la chaleur est devenue plus étouffante. La différence de climat avec la vallée de Katmandu était remarquable, l'air y étant plus sec. Au fil des kilomètres, la végétation changeait. Ça sentait le sud. Dans la voiture, le silence était ponctué par les raclements de gorge de Ram ; toutes les cinq minutes, il ouvrait la vitre pour cracher. À la longue, ça devenait insupportable. Pour ne pas l'entendre, je me suis réfugiée dans mes pensées. J'avais très envie de poser une question à Narayani. J'ai longuement hésité, et finalement j'ai osé l'interroger.

- Narayani, as-tu connu la mère de Nishu ?

- Oui, bien sûr.

- Comment était-elle physiquement : jolie, grande ?

- Oh ! Elle était toute petite et pas belle du tout.

Elle me fit une grimace pour me souligner la laideur de la mère de ma fille. J'aurais mieux fait de m'abstenir, mais il y avait quand même une autre question qui me brûlait les lèvres.

- Est-ce que tu connais les circonstances de la mort de la mère de Nishu ?

- Mais elle n'est pas morte ! Un jour, elle a connu un autre homme que son mari et elle est partie en abandonnant ses enfants.

Il m'a fallu un moment pour réagir à ce que je venais d'entendre.

- Elle avait d'autres enfants ?

- Nishu a un frère et une sœur.

- Narayani, tu m'avais dit que sa mère était morte et tu ne m'as jamais parlé de son frère et de sa sœur !

Ram est alors intervenu.

- Au Népal, une femme n'a pas le droit de commettre l'adultère et son mari ne peut garder une épouse qui l'a trompé, il lui demande de partir. C'est pour cette raison que la mère de

Nishu

Nishu est considérée comme morte par la famille de son mari et aussi par le village.

Narayani ajouta :

- Ne parle jamais à Nishu de sa mère.

J'étais sonnée par tout ce que je venais d'entendre, ma théorie sur l'adoption d'un enfant orphelin s'écroulait. Non seulement il y avait une mère, mais aussi deux autres enfants.

Ram qui était assis à côté du chauffeur s'est retourné vers moi.

- Si le père de Nishu se remarie, c'est une chance pour elle que tu l'adoptes. Sa nouvelle femme n'est pas obligée d'accepter ses enfants.

- Mais Ram, on ne peut pas séparer ces trois enfants !

- Tu dois d'abord apprendre ce qu'est la vie au Népal, après tu comprendras.

Narayani m'observait, elle sentait bien que j'avais du mal à être en accord avec leur propos.

- Ne t'inquiète pas, tout ira bien, me dit-elle au moment où un panneau nous signalait l'entrée du parc de Chitwan. On approchait du village.

Je ne savais pas si j'étais prête à adopter un enfant qui avait une mère, un père, un frère et une sœur.

Le premier village que nous avons traversé était Tadi Bazar, le taxi s'est alors arrêté au bord de la route.

- Sommes-nous arrivés, demandais-je un peu surprise ?

- Non, Narayani va t'accompagner pour acheter des oranges. Au Népal, lorsque l'on est invité, il est de coutume d'en offrir.

Dans une échoppe, j'ai choisi de quoi composer deux sacs de fruits, un pour la famille de Tej, l'autre pour ma fille. Nous sommes remontées dans la voiture et, après avoir roulé un peu moins de cinq kilomètres, Narayani a fait signe au chauffeur de tourner à gauche. Nous arrivions à Jyamire. Des dizaines d'enfants se sont mis à courir après la voiture et nous ont escortés jusqu'à la maison de Tej.

En descendant du taxi, une petite fille d'une dizaine d'années est venue m'accueillir. Elle devait être la sœur de Tej.

La rencontre

- Namaste, mon nom est Nita.

Elle m'a présenté ses deux petits frères : Palden et Rajendra ainsi que son père, sa grand-mère et son grand-père. J'ai salué tout le monde, puis Nita m'a fait entrer dans la maison et m'a guidée vers une femme qui se tenait à l'écart.

- Voici ma mère, me dit-elle avec fierté.

Je me suis inclinée et lorsque j'ai relevé mon visage, cette femme a pris mes mains dans les siennes en me regardant profondément. Nous étions maintenant dans une petite cour à l'arrière de la maison. Tout le village devait être présent mais je ne voyais qu'elle, que ses grands yeux verts. J'ai eu alors une grande émotion. J'ai posé ma tête sur son épaule et j'ai pleuré comme une petite fille qui vient de retrouver un être cher après une longue séparation.

- Je m'appelle Laxmi.

Le regard qu'elle a posé sur moi à cet instant a nourri ce que j'avais cherché toute une vie. Je ne pouvais pas parler, je la regardais et je pleurais de bonheur.

Nita et sa grand-mère nous observaient et se sont approchées. Autour de nous, il y avait un grand silence, tout le monde respectait cet instant d'intimité.

Nita a commencé à manifester des signes d'impatience, elle voulait m'emmener voir Nishu. Sans plus attendre, elle m'a prise par la main et m'a entraînée sur la route, très excitée à l'idée d'assister à la rencontre avec ma fille.

- Maintenant, tu vas devenir mère, me dit-elle en sautillant.

Sa réflexion m'a fait sourire intérieurement.

À moins de trois cents mètres de là, un autre attroupement nous attendait. Je cherchais Nishu des yeux et ne la voyais pas. Un homme nous a invitées à entrer dans une maison. Je me suis retrouvée dans une pièce minuscule. Contre un mur, il y avait un lit et, au fond de la chambre, j'ai aperçu ma fille pour la première fois. Elle était dans les bras de son père et promenait son regard en direction du plafond pour être sûre de ne pas me voir. Je me suis avancée vers elle, j'ai joint mes deux mains à la hauteur de mon front et je l'ai saluée.

- Namaste, Nishu.

Nishu

Elle ne me regardait toujours pas. Je lui ai tendu une orange que Nita venait de me mettre dans la main et, d'un geste vif, elle me l'a arrachée. Ensuite, elle a quitté les bras de son père, est venue vers moi et a déposé son premier baiser sur ma joue. Ses yeux ronds m'ont dévisagée et, hop, elle est repartie vers son père. Je la laissais venir à moi, sans la brusquer. Quelques minutes plus tard, elle est revenue, m'a tendu ses bras et s'est blottie contre moi, sa tête dans le creux de mon cœur.

- J'ai entendu ton appel et, aujourd'hui, je suis enfin près de toi. Je suis ta maman.

Elle m'écoutait, ses yeux pétillaient de malice et je savais qu'elle me comprenait. Elle était si belle.

Son frère et sa sœur se sont approchés pour se présenter.

- Je m'appelle Chandra, j'ai dix ans et je suis la grande sœur de Nishu.

- Moi, je suis son frère Dinesh, j'ai six ans.

J'ai voulu leur confier le sac d'oranges mais Nishu n'a pas été du tout d'accord, il était pour elle.

Cette journée fut riche en émotion ; je portais ma fille dans mes bras et je touchais du doigt le bonheur. J'en avais oublié ma grande théorie sur l'adoption, je prenais ce que la vie m'offrait. La rencontre avait eu lieu et je ne pouvais plus faire marche arrière. Nishu faisait déjà partie de ma vie.

Sharad, le père de ma fille, était réservé, il parlait peu et semblait ému. De temps en temps, Nishu cherchait son regard et revenait à mes côtés pour m'observer.

Ram, qui était resté très discrètement à l'écart de l'événement, s'est alors avancé vers moi pour me rappeler qu'il était l'heure de partir, nous devions aller à la recherche d'un hôtel. Je n'avais pas vu le temps passer et il était près de dix-sept heures, la nuit allait bientôt tomber.

Sharad m'a demandé si je voulais garder Nishu pour la nuit. C'était trop tôt, je préférais que tout se passe en douceur. Ram lui a traduit la réponse et il a compris ma décision. Nous nous sommes donnés rendez-vous le lendemain matin à dix heures, chez Laxmi. J'ai embrassé ma fille pour lui dire au revoir et elle a joint ses petites mains sur son front en me disant :

- Namaste.

La rencontre

Après avoir quitté Nishu, j'ai demandé à Nita, qui m'escortait toujours, de m'indiquer où je pouvais aller aux toilettes. Ram qui avait entendu ma question se mit à rire.

- Ici, il n'y a rien. Tu dois faire comme les Népalais, dehors au bord de la route.

Avec le monde qui était autour de nous, ce n'était pas vraiment possible. Narayani m'a proposé d'aller chez une voisine qui avait l'unique toilette de Jyamire. Elle m'a accompagnée et son amie a accepté que je puisse l'utiliser chaque fois que j'en aurais besoin.

Lorsque je suis revenue à la maison pour prendre mon sac, Laxmi m'a proposé de dormir chez elle. Je n'ai pas pu dire oui ; j'avais peur, c'était trop tôt. Il m'était impossible d'expliquer ce refus ; peut-être était-ce pour préserver un espace de sécurité entre ce village et moi. Je ne pouvais pas encore me donner entièrement, j'avais besoin de plus de recul pour comprendre ce que je vivais.

Je suis montée à l'arrière du taxi, laissant à Ram la place à côté du chauffeur. Nous devions maintenant trouver un motel. Le premier que l'on a vu était sordide. Mon guide touristique m'indiquait qu'ils étaient tous concentrés à Sauraha, à six kilomètres de Jyamire. Le soleil se couchait, il fallait faire vite. Nous avons roulé jusqu'à une rivière, Sauraha était de l'autre côté de la rive à environ une demi-heure de marche. Il y avait bien un pont, mais il n'était pas prévu pour les voitures. À cette heure, la nuit était tombée, il n'y avait plus de chars à bœufs qui allaient jusqu'au village. Heureusement, notre chauffeur a pu trouver un homme qui conduisait une sorte de tracteur et qui a accepté de nous conduire à Sauraha. Ce fut périlleux, chargée comme je l'étais, mais je me voyais mal marcher la nuit dans un lieu que je ne connaissais pas. D'autant plus que Sauraha était situé au cœur de la réserve des animaux, et que je n'avais pas très envie de me retrouver face à un rhinocéros.

Nous avons traversé la rivière et le tracteur nous a déposés à l'entrée du village. Il fallait maintenant trouver une chambre. Ce ne fut pas une chose facile, nous étions au mois de mars, en haute saison et tout était complet. Un seul motel a pu nous proposer une chambre de libre, j'allais devoir la partager avec Ram et ça ne m'enchantait pas du tout. Nous l'avons visitée avec une lampe de poche, j'ai aperçu un grand lit au milieu de la pièce et une petite salle de bain. Si je ne voulais pas dormir dans la rue, je n'avais guère le choix. Nous avons déposé nos sacs et nous sommes allés dîner.

Notre repas fut simple, du riz et un curry de légumes que nous avons mangé en silence, chacun de nous étant absorbé par ses pensées. J'ai tenté de nouer un dialogue avec Ram pour apporter un peu de gaieté à notre repas.

- Quel est le programme de la journée pour demain ?

- Le père de Tej ira demander au responsable de la police du village de faire une enquête de voisinage, de manière à prouver que la mère de Nishu est partie. Le maire du village est son ami, il signera cette enquête sans problème.

Le moment que je redoutais le plus est arrivé, nous avions regagné le motel et nous entrions dans la chambre. Très poliment, Ram m'a laissé la salle de bain. Ma toilette a été réduite au minimum, je n'étais pas du tout à mon aise et je me suis couchée sans me changer. Ensuite, il est allé se laver à son tour et là, j'ai eu droit à une scène de raclement de gorge et de crachats comme je n'en avais jamais entendu. Je me suis bouché les oreilles, tout en pensant que je ne pourrais plus jamais utiliser cette salle de bain. Dès l'aube, j'irai à la recherche d'un autre motel pour avoir deux chambres séparées. C'était devenu une urgence !

À sept heures du matin, j'étais debout. J'avais très mal dormi, le plafond de la chambre était en paille et toute la nuit de la poussière en était tombée. J'ai pris mon sac à dos et j'ai quitté la chambre sur la pointe des pieds pour ne pas réveiller Ram qui dormait encore.

Dehors, il faisait beau et chaud, les cris des animaux résonnaient dans la forêt. Lorsque je me suis retrouvée dans la rue, je me suis aperçue que, malgré l'heure matinale, tout le monde travaillait déjà, même les éléphants ! Il y en avait un au beau milieu de la route qui portait sur son dos de grandes branches feuillues. J'ai attendu qu'il veuille bien libérer mon chemin et surprise ! J'avais juste en face de moi un motel avec des bungalows et un joli jardin. Je suis allée à la réception pour savoir s'il y avait deux chambres disponibles. Un groupe de japonais venait de quitter les lieux, je pouvais même en disposer sur-le-champ.

Je suis vite allée chercher Ram, il a été surpris que je sois déjà levée. Nous avons récupéré nos sacs et, après avoir payé la note, nous avons traversé la rue. Chacun de nous a pu regagner sa chambre. J'avais mon espace et c'était essentiel pour mon équilibre. Mon seul regret fut de ne pas pouvoir prendre le temps de réfléchir et de me pauser quelques minutes. Après le petit-déjeuner, nous avons tout de suite repris la piste pour rejoindre la rivière.

Durant le trajet, Ram n'a pas cessé de parler. Il me posait des tas de questions sur ma vie et, sans attendre la réponse, il passait à autre chose. Après trente-cinq minutes de marche, j'étais fatiguée de l'entendre. Je me suis détendue en apercevant le chauffeur de l'autre côté du pont, il nous faisait de grands signes de la main pour nous avertir de sa présence.

En arrivant à la maison, j'ai remis à Laxmi les oranges et les bananes que j'avais achetées à Tadi Bazar. Elle les a rangées à côté d'un grand sac de riz, dans la réserve. J'étais seule au Népal à plus de dix mille kilomètres de chez moi ; avec Laxmi à mes côtés, je savais que rien ne pouvait m'arriver, sa présence me rassurait.

Nita m'a accompagnée voir Nishu. Nous l'avons rencontrée sur le chemin, elle était toute seule et venait voir sa maman, nous a-t-elle dit. Je n'ai pas pu la prendre dans mes bras, j'ai juste eu le droit de lui donner la main et de l'embrasser sur la joue.

Dans la maison, Ram finissait de remplir les dossiers avec Narayani et Uttar, le père de Tej. Ensuite sont arrivés le maire du village puis Sharad et le père de Nishu. Ils sont tous montés dans la voiture et m'ont demandé de les attendre, sans plus d'explications. Je suis donc restée dehors, assise à côté de la grand-mère et j'ai regardé vivre ma fille. Son regard était plus sombre que la veille et l'expression de son visage se révélait assez dure. Elle s'exprimait peu, émettait des sons comme un petit animal. Nishu a fait son pipi là où elle se trouvait sans se poser de questions, puis elle s'est mise à hurler parce qu'un enfant ne voulait pas lui donner un bonbon. Je suis allée vers elle pour la prendre dans mes bras et elle a crié de plus belle, en tapant des pieds.

- Je suis là pour t'aider ; désormais, tu n'es plus toute seule, je suis près de toi.

Elle a accepté que je la porte, a posé sa tête sur mon épaule et ses petits bras ont entouré mon cou, en me serrant très fort. Il y avait une grande souffrance en elle et il nous faudrait du temps à toutes les deux pour que l'on se retrouve. Elle s'est endormie dans mes bras.

Nishu

À son réveil, je lui ai donné du pain et une banane et lorsqu'elle a eu le ventre plein, elle a quitté la maison. Je me suis levée pour voir où elle pouvait bien aller, elle se dirigeait vers la route. Je l'ai suivie discrètement, en gardant une certaine distance entre nous deux. Sa tête penchait sur son côté gauche et elle haussait les épaules en marchant. Je ne la voyais que de dos, mais cette image, je ne pourrai jamais l'oublier. Je ressentais sa solitude, elle errait sans but. Je me suis rapprochée d'elle, tout en respectant son désir de ne pas vouloir se donner.

- Je suis ta maman et je t'aime. J'ai fait un long chemin pour venir à toi. J'ai entendu tes appels, je t'ai cherchée et je t'ai trouvée.

Elle s'est arrêtée de marcher, s'est retournée et son regard m'a fixée intensément.

- Ama ?

- Oui, je suis ama.

J'étais troublée par cet échange, je la revoyais lors de mes méditations. Elle m'a donné sa main et nous avons continué la promenade ensemble. Notre première journée s'est écoulée ainsi, faite d'approches, de reculs, de câlins.

En début d'après-midi, j'ai demandé à Laxmi si elle pouvait me donner du dal bhat, j'avais faim. Tout heureuse que je mange ce qu'elle avait préparé pour le repas du matin, elle m'a apporté un grand plat garni de riz, de lentilles et de légumes. Je me suis assise devant la porte de la cuisine, mon assiette sur les genoux. Nishu s'est approchée de moi, ses yeux ne quittaient pas mon repas. Je lui ai proposé du riz, elle s'est assise en face de moi et nous avons mangé ensemble. Visiblement, elle n'avait pas eu son repas du matin et peut-être même celui de la veille au soir. Le pain et la banane que je lui avais donnés n'avaient pas suffit à calmer sa faim. Elle s'est endormie sur une natte de paille et je l'ai couverte d'un voile de coton pour que les mouches ne la dérangent pas.

C'est le bruit des enfants revenant de l'école qui a réveillé Nishu. Ils sont tous venus devant la maison pour nous voir et nous parler de leur journée. Nishu a retrouvé son frère et sa sœur et elle est partie avec eux. Nita s'est changée, elle a ôté sa jupe bleu marine et son chemisier blanc, uniforme de l'école gouvernementale, pour se vêtir d'une tenue plus népalaise. Laxmi commençait à préparer ses légumes pour le repas du soir, assise en lotus sur le sol, sans un mot. Cette première journée à Jyamire s'est écoulée hors du temps, je pouvais imaginer sans difficulté ce que serait demain et après demain.

Sur la route, les enfants se sont mis à crier : taxi, taxi ! Je me suis levée et j'ai aperçu la voiture qui se dirigeait vers la maison. Ram n'était pas du tout de bonne humeur, il ne m'a pas dit un mot. J'ai rejoint Narayani qui était allée déposer les dossiers dans la maison.

- Comment s'est déroulée la journée ?

- Ne t'inquiète pas, tout s'est bien passé. Demain matin, tu nous accompagneras au poste de police pour signer l'enquête. Ram se rendra à Bharatpur, c'est à environ douze kilomètres du village, pour rencontrer les fonctionnaires du district.

Il était près de dix-sept heures, il était temps de reprendre la route pour Sauraha. J'ai fait un gros câlin à Nishu qui était revenue à la maison, et nous sommes partis. Pendant notre marche sur la piste de Sauraha, Ram n'a fait que se racler la gorge et cracher. Il passait du harcèlement au mutisme et refusait de répondre à mes questions concernant l'adoption. Lorsque nous sommes arrivés à l'hôtel, la nuit était tombée, nous avons regagné nos chambres en silence. Je me suis allongée sur le lit, fatiguée, je ne supportais plus cette tension avec Ram.

Le lendemain matin, j'ai retrouvé un Ram joyeux. Il voulait tout savoir sur les Françaises et l'amour.

- Je suis un homme très libéré et à l'aise dans ma sexualité, j'aurais pu vivre en Occident sans problème.

- Je le pense aussi.

Chaque matin, je redoutais cette marche seule avec Ram, c'était devenu un véritable supplice.

C'est avec un grand soulagement que j'ai retrouvé ma fille et toute la famille. Son père nous a rejoint environ une heure plus tard, il était très soigné dans ses tenues vestimentaires malgré ses maigres ressources. Nishu, quant à elle, portait toujours son pyjama de nuit comme de jour. J'avais bien quelques vêtements à l'hôtel de Sauraha, mais n'ayant pas prévu qu'elle aurait un frère et une sœur, je ne les lui avais pas encore donnés.

Nous nous sommes rendus au bureau de police à pied, la chaleur était déjà écrasante bien qu'il ne soit que dix heures du matin. Après trois heures d'attente, nous avons été reçus par le chef de police. Les documents étaient prêts, je les ai signés ainsi que Sharad.

À mon retour, j'ai mangé le dal bhat avec Nishu et elle s'est endormie. Elle avait peu de résistance physique pour ses trois ans et dormait au moins dix-sept heures par jour. N'ayant rien à faire si ce n'était que d'attendre, je me suis assise devant la maison, le seul endroit où l'on trouvait un peu d'ombre. Narayani a enlevé les lentes dans les cheveux de Laxmi, ainsi que les miennes et celles de Nishu. Autant dire que cette activité nous a occupées toute l'après-midi.

Ram et Uttar sont revenus du district de Bharatpur vers seize heures. Le rendez-vous s'était mal passé, ils devaient y retourner le lendemain avec le maire du village. Il y avait dans le pays une grande instabilité politique et aucun fonctionnaire ne voulait prendre une décision concernant mon dossier. J'étais au Népal depuis bientôt deux semaines et rien n'avançait.

Sur la route de Sauraha, Ram m'a annoncé que j'étais responsable de l'échec du rendez-vous. Je ne comprenais pas pourquoi il me disait cela puisque je n'étais pas allée avec eux au district. Face à lui, j'étais sans voix, je perdais tous mes moyens. Il lui arrivait même de me donner des ordres en faisant claquer ses doigts, et je ne réagissais pas.

Après avoir regagné ma chambre, j'ai pris ma douche et je suis allée dîner. Ram n'étant pas encore dans la salle du restaurant, j'y serais donc tranquille pour un moment. J'ai partagé ma table avec Bob, un américain qui arrivait de Pokhara. Nous avons tout de suite sympathisé et l'on a vite compris que nous avions la même approche de la vie. Je lui ai longuement parlé de mon adoption et du comportement de Ram. Il ne me demandait pas d'argent ou, du moins pas encore, mais me traitait sans égard et niait ce que j'étais.

Lorsque Ram est entré dans la salle, il s'est joint à nous et très naturellement a commencé à discuter avec Bob. J'étais assise en face de Ram, il regardait au-dessus de moi et faisait comme s'il ne me voyait pas. Tout en mangeant ma soupe, je les observais. Bob riait aux éclats, Ram rayonnait et ne cessait de parler.

Le sujet de la conversation était Jésus. Ram ne comprenait pas comment en Occident, on avait pu croire qu'il ait pu marcher sur l'eau et transformer l'eau en vin. Il se moquait de notre incrédulité et Bob l'accompagnait dans ses rires avec insistance. Il m'a fallu du temps pour comprendre le sens de la scène qui se déroulait devant moi. Ram veut être en permanence la vedette, il faut lui laisser cette place. Comment le supporter ? C'était simple, tourner en dérision tous ses propos. Je devais comme Bob, jouer son jeu et, surtout, ne pas le prendre au sérieux.

Le lendemain, j'ai appliqué ma nouvelle méthode. Je me suis esclaffée chaque fois qu'il ouvrait la bouche pour parler. Sur le moment, il a été surpris et un peu dérouté, puis son regard a commencé à pétiller. C'est d'ailleurs ce matin-là qu'il m'a annoncé qu'il ne pourrait jamais avoir de relation avec moi.

- Tu es trop vieille, me dit-il.

J'espérais que cette sage décision mettrait fin au harcèlement quotidien. Pour la première fois, le trajet s'est fait sans agressivité.

En arrivant à Jyamire, je suis vite allée voir Nishu. Je l'ai trouvée toute nue sous la pompe à eau, sa sœur la lavait. En m'apercevant, elle s'est jetée dans mes bras et a posé sa tête sur mon épaule. Sa grand-mère nous observait ; curieusement, Nishu ne manifestait aucun élan de tendresse envers elle.

Au bord de la route principale, il y avait quelques échoppes et, chaque jour, j'allais y faire un tour avec Nishu. Ce matin-là, j'ai pu acheter des oranges, du pain de mie et des petits gâteaux dont les enfants se sont régalés.

En milieu de matinée, nous nous sommes rendus au district de Bharatpur. Ram m'a demandé de les attendre dehors, avec Sharad. S'il avait besoin de notre présence, il viendrait nous chercher. Je suis donc restée dans la voiture, Nishu dormait sur la banquette arrière. De nombreuses personnes nous regardaient avec curiosité car, dans le Sud du Népal, il n'y a pas de taxi. On se déplace à pied, en autobus ou bien en rickshaw[4]. Le peu de voitures en circulation appartiennent à des hommes politiques.

Dans l'après-midi, Narayani est venue chercher Sharad, sans que je puisse en savoir davantage. J'ai marché avec Nishu un moment, puis nous sommes revenues au taxi. J'essayais en vain de la faire parler, elle venait me faire un câlin, me souriait, mais pas un mot ne sortait de sa bouche. Elle n'émettait que des sons

---

4 Rickshaw : Voiture légère à deux roues, tiré par un homme à pied ou à vélo.

étranges, même Ram s'était aperçu de son problème de communication. À seize heures, le district a fermé ses portes, Ram est revenu accompagné de Narayani et de Sharad. Il était furieux.

- Tu as fait une faute, me dit-il en pointant sur moi un doigt accusateur.

Il n'a pas voulu en dire plus ; quant à Narayani, c'était le même mutisme. Ils ont conversé tous les deux en népalais. Tout m'échappait.

Lorsque j'ai pris mon premier repas de la journée, il était seize heures trente et j'avais vraiment faim. Laxmi m'a tout juste laissé le temps de poser mon sac à dos, puis elle a déposé sur mes genoux mon assiette de dal bhat et s'est assise à mes côtés.

- Ram, que faisons-nous demain ?

- C'est samedi et les bureaux seront fermés, j'en profiterai pour faire certains papiers.

C'était très vague, mais j'ai décidé de ne pas le questionner plus longuement. J'ai embrassé Nishu qui m'a dit au revoir de la main, elle avait compris que tous les soirs, je partais.

Sur la piste de Sauraha, j'ai parlé à Ram de la mère biologique de Nishu.

- Est-ce que tu penses qu'il serait possible d'obtenir des photos de sa mère ? J'aimerais que Nishu ait le maximum d'informations sur son passé afin de l'aider à mieux se connaître.

- Je vais voir ce que je peux faire. Sur ce point, je te rejoins tout à fait.

Avec Ram, c'était curieux. Notre relation pouvait être parfois très conflictuelle, tandis qu'en d'autres moments, nous étions en accord total.

Bien qu'il fasse nuit en arrivant à Sauraha, j'ai eu envie d'aller marcher et de rencontrer les commerçants qui tenaient leurs échoppes sur la rue principale. En pénétrant dans l'une d'elle qui était dans l'obscurité totale, je fus surprise de voir l'électricité revenir comme par magie et de trouver le vendeur assis, derrière son comptoir. J'ai pu acheter des T-shirts pour enfants, ce qui était inespéré. Demain, je les offrirais à Nishu ainsi qu'a son frère et a sa sœur.

Au restaurant, j'ai retrouvé Bob qui attendait son repas. Nous avons repris notre conversation de la veille, comme si elle ne s'était jamais interrompue.

- Tu sais Bob, hier soir, j'ai bien observé le comportement que tu as eu avec Ram, et cela m'a permis de comprendre que je devais modifier le mien. J'ai conscience de ne pas encore avoir saisi tout le sens de l'expérience que je vis avec lui.

- Je quitte Sauraha demain matin. Il y a une chose que je dois te dire au sujet de Ram. Ne te laisse pas impressionner par lui, tu ne lui dois rien, même s'il te fait penser le contraire.

Cette rencontre m'avait fait du bien, j'étais recentrée.

Ce samedi matin en arrivant à la maison, j'ai tout juste eu le temps de descendre du taxi. Narayani et Uttar se sont précipités pour monter dans la voiture.

- Où allez-vous de si bonne heure ?

C'est Ram qui m'a répondu.

- Nous devons régler certains détails pour ton dossier d'adoption, tu restes ici jusqu'à notre retour.

J'étais bloquée au village pour la journée. J'ai pris les T-shirts achetés à Sauraha la veille, et je suis allée voir Nishu. Sous le regard amusé des autres enfants, je lui ai donné sa douche au bord du chemin. Elle s'est laissée habiller de ses nouveaux vêtements et n'en revenait pas de se voir aussi belle. Chandra et Dinesh se sont aussi changés, heureux de leur cadeau.

Dans mes pensées concernant Nishu, je me heurtais à la présence de son frère et de sa sœur et je me culpabilisais beaucoup à l'idée de leur enlever leur petite sœur. Leur mère avait dû partir et personne ne savait où elle vivait ou, du moins, on ne voulait pas que je le sache. Une discussion que j'avais eue avec Bob me revenait en mémoire. Il m'avait dit :

- Si tu avais su que Nishu avait un frère, une sœur, un père et une mère, serais-tu là aujourd'hui ?

- Bien sûr que non, lui avais-je répondu.

- Cela veut dire que si l'on t'a caché toutes ces informations, c'est que tu ne devais pas les connaître pour que ta rencontre avec Nishu ait lieu.

Nishu

Bob avait raison ; cette culpabilité m'empêchait d'avancer et je devais la dépasser. En passant de nombreuses journées à Jyamire, je voyais vivre Nishu dans son environnement. Je respirais les mêmes odeurs qu'elle et je m'empreignais de sa vie afin de mieux la comprendre. Je pouvais rester parfois des heures sans savoir où était ma fille puis, soudainement, elle surgissait de nulle part. Lorsque Nishu apercevait sa sœur, elle courrait vers elle et Chandra la portait sur son dos. J'observais attentivement ces scènes de vie familiale pour être en mesure, plus tard, de raconter à Nishu cette partie de vie que nous avons partagée toutes les deux au village.

Vers treize heures, j'ai mangé mon dal bhat avec Nishu. Laxmi est persuadée qu'on ne lui donnait pas ses deux repas par jour et je suis bien d'accord avec elle. Rajendra, le jeune frère de Tej que je n'avais pas encore vu de la journée, est venu près de moi pour me saluer. Lorsque j'ai voulu l'embrasser, Nishu s'est mise à hurler tout en l'écartant de moi, puis elle m'a lancé un regard très sombre, me montrant ainsi sa colère et sa douleur. Elle a quitté la maison en courant et je l'ai suivie. Elle marchait en haussant les épaules pour ensuite pencher sa tête sur son côté gauche. Je me suis approchée d'elle tout doucement pour ne pas la brusquer, et j'ai pu la prendre dans mes bras. Nishu pleurait et sa maman aussi. Je ressentais une telle détresse enfouie sous ses gestes brusques. Elle ne laissait paraître son besoin d'affection que très rarement. Il fallait saisir ces moments parce que, très vite, elle se refermait et se rendait peu accessible. J'ai pu la calmer en lui parlant longuement.

- Je te promets que quoi qu'il arrive, je serai toujours ta maman et tu ne seras plus jamais seule, je veillerai sur toi. Dans ces moments de grande confidence avec ma fille, je m'ouvrais et je laissais parler mon cœur. J'avais peur de m'investir dans cette relation et, en même temps, une force en moi me poussait à m'engager.

Nous sommes rentrées à la maison et nous avons dormi toutes les deux sur la natte, serrées l'une contre l'autre. Je l'aimais et je souffrais de ressentir autant de douleur dans cette âme, mais cet amour, aussi fort soit-il, ne s'exprimait pas encore vraiment.

Après la sieste, j'ai emmené tous les enfants avec moi pour acheter des fruits et surtout des bonbons. La jeune femme qui tenait l'échoppe était visiblement très contente de me voir. À chacune de mes visites, je la dévalisais de toute sa marchandise.

La rencontre

Le taxi était parti depuis dix heures du matin et il était près de seize heures. Où étaient-ils tous allés ? Je commençais à m'impatienter lorsque les enfants du village sont venus me prévenir de son arrivée. J'ai confié Nishu à sa sœur, je les ai embrassées toutes les deux pour leur dire au revoir et je me suis avancée vers Ram qui descendait de voiture. Très sèchement, je lui ai fait part de mes intentions.

- Tu fais ce que tu veux mais, moi, je rentre à Sauraha. Demain matin, j'irai avec vous au district, je veux savoir ce qu'il est possible d'espérer. À partir d'aujourd'hui Ram, tu dois me tenir au courant de tout ce qui se passe.

D'une toute petite voix, il ajouta :

- Tu peux rentrer seule, j'attends que le taxi revienne, j'ai une dernière chose à faire.

J'ai passé une soirée très calme dans la réflexion, j'avais besoin de ces moments pour faire le point.

Il devait être environ vingt-deux heures lorsque j'ai entendu Ram m'appeler. Il était derrière la fenêtre de ma chambre.

- Qu'est ce qu'il t'arrive, lui ai-je demandé en ouvrant ma porte ?

- Est-ce que je peux te voir un moment, j'ai à te parler. Si tu veux, on va boire un verre.

Son comportement était vraiment étrange, mais je sentais qu'il avait quelque chose d'important à me dire. Je l'ai accompagné dans la salle du restaurant et nous avons commandé un thé.

- Bien, je t'écoute Ram.

- Ce soir lorsque tu as quitté Jyamire, j'ai attendu le taxi. Ensuite, avec Narayani, nous avons été voir les grands-parents maternels de Nishu. Je ne peux pas te dire où ils habitent mais ils ont pu me donner des photos de la mère de Nishu. Tiens regarde, me dit-il en me les tendant.

En découvrant la mère de ma fille, j'ai ressenti une très grande tristesse. Elle était une belle jeune femme avec de longs cheveux noirs, son regard était lointain, comme s'il portait déjà en lui le signe d'un départ. Sur l'une des photos, elle entourait de ses bras Chandra et Dinesh. Si j'avais eu un seul doute sur son identité, là je ne pouvais plus en avoir. Elle était bien la mère des enfants.

- Ram, je te remercie infiniment. Pour Nishu, ce sera important qu'elle puisse savoir qui est sa mère. Que t'ont dit ses grands-parents ?

- Leur fille vit en Inde, enfin c'est ce qu'ils m'ont raconté. Ils lui écriront pour qu'elle sache que Nishu doit partir en France. Ils ont été heureux d'apprendre qu'elle allait être adoptée. Depuis le départ de leur fille, ils n'ont jamais revu les enfants. Ils m'ont dit aussi qu'elle avait été obligée de les abandonner tous les trois et de quitter la maison.

- Est-ce qu'elle peut revenir à son domicile ?

- La loi ne s'y oppose pas, mais la culture népalaise n'acceptant pas l'adultère venant de l'épouse, elle ne pourra donc jamais revenir. Jyamire se trouve à moins de deux heures de la frontière indienne et il y a dans cette région du Népal une très forte influence hindoue. La femme au Népal, tout comme en Inde, vit avec ses parents jusqu'à son mariage. Lorsqu'elle quitte la maison paternelle, c'est pour habiter dans celle de son mari, elle appartient alors à sa belle-famille. Une femme qui n'est plus soutenue par son mari, ses parents et sa belle-famille est considérée comme un paria et doit quitter le domicile conjugal.

Il était tard, j'ai regagné ma chambre les photos serrées contre moi. Je les ai rangées très soigneusement et j'ai écrit dans un cahier tout ce que Ram m'avait raconté au sujet de la mère de ma fille.

Le lendemain, nous nous sommes tous rendus au district. Cette fois encore, j'ai dû rester à l'extérieur avec Sharad et Nishu. L'attente a été longue, Nishu était beaucoup plus patiente que moi. Dans le courant de l'après-midi, Narayani est sortie pour nous donner quelques informations.

- Le gouvernement vient de changer et ce sont les communistes qui sont désormais au pouvoir. Au district, il n'y a plus de responsable, toutes les décisions sont bloquées jusqu'à l'arrivée d'un nouveau chef.

Uttar et Ram nous ont rejoints, ils ne savaient pas comment m'annoncer la nouvelle. J'ai pris les devants.

- Narayani m'a déjà tout expliqué. Demain, je remonte à Katmandu, je dois absolument aller à l'ambassade. Après on verra.

La rencontre

La nouvelle a vite fait le tour du village, tout le monde est venu à la maison pour me soutenir et me donner du courage. Tant que je n'avais pas l'autorisation du district, je ne pouvais pas emmener ma fille plus loin sur mon chemin. J'ai donc décidé que Nishu resterait à Jyamire. Je l'ai prise dans mes bras et nous nous sommes éloignées de la maison, j'avais besoin d'être seule avec elle pour lui parler. Dans ces moments où tout s'écroulait, je m'accrochais désespérément à une seule pensée : je n'abandonnerai jamais ma fille.

Le retour à Sauraha fut silencieux. À l'hôtel, j'ai préparé mon sac de voyage et je me suis couchée.

À huit heures du matin, nous étions chez Laxmi, je lui ai remis des fruits et du pain pour les enfants. Nishu ne me quittait pas des yeux, j'ai demandé à Laxmi de la nourrir et de veiller sur elle. Elle a posé ses mains sur mes épaules et a plongé ses grands yeux verts dans les miens, son sourire était une force. La gorge serrée, je me suis avancée vers ma petite fille.

- Je reviens très vite, c'est promis. Laxmi te donnera à manger et te prêtera ses bras.

Durant tout le voyage, je n'ai pas ouvert la bouche. Narayani et Ram ont discuté, ils s'entendaient à merveille tous les deux. Pensivement, mon regard se portait sur les cultures en terrasse de la vallée que nous traversions. Des femmes assises au bord de la route cassaient des cailloux et des enfants les triaient. D'autres travaillaient aux champs ou bien dans les rizières, certaines portaient de l'herbe sur leur dos pour nourrir les animaux.

On approchait de Katmandu, mon seul but pour l'instant était ma visite à l'ambassade le lendemain matin. Je ne pouvais pas penser plus loin. Ma fille était à Jyamire et je devais me battre, dépasser mes peurs pour la ramener en France. Au village, j'avais du mal à réfléchir, la misère m'obligeait à vivre une autre réalité à laquelle il était impossible d'échapper. Une force, que je sentais bien présente en moi, me demandait d'oublier qui j'étais et d'épouser une autre culture, une autre vie. À Jyamire le futur n'existe pas, on vit simplement jour après jour sans penser à demain. J'apprenais à vivre différemment.

Ram et Narayani m'ont déposée à l'hôtel, ils passeraient me prendre le lendemain pour m'accompagner à l'ambassade.

Nishu

Au moment du dîner, il y a eu une coupure d'électricité, c'était fréquent à Katmandu. J'ai mangé à la bougie puis j'ai regagné ma chambre. Je me suis endormie épuisée en espérant que tout s'arrange, ma fille me manquait.

L'attaché du Consul, M. Vanto, m'a reçue seule. Narayani et Ram avaient choisi de m'attendre dans les jardins de l'ambassade.

Je lui ai raconté toute mon histoire et il m'a écoutée très attentivement, en prenant quelques notes.

- Je connais votre ami Ram et j'ai de grands doutes sur son honnêteté. Faites très attention.

C'était la deuxième fois que l'on me mettait en garde. Heureusement, il ne m'avait pas encore demandé d'argent. M. Vanto a eu l'air rassuré de cette confidence.

- Néanmoins, me dit-il, sans l'autorisation du district de Chitwan, vous ne pourrez pas entamer la seconde partie de la procédure à Katmandu. Vous devez retourner dans le sud et ne remonter qu'avec l'accord de l'administration.

Un détail l'inquiétait quand même, c'était mon âge. Il ne comprenait pas pourquoi Ram m'avait fait venir avant mes quarante ans.

- Vous savez où je peux le joindre ?

- Il est dehors.

Il l'a tout de suite fait appeler. Lorsque Ram est entré dans le bureau, j'ai découvert un autre homme. Poli, courtois, il en faisait même trop et son comportement agaçait visiblement M. Vanto.

Très sèchement, il lui a dit qu'il n'aurait jamais dû me faire démarrer une procédure en sachant que je n'avais pas quarante ans. Ram n'a pas perdu la face.

-Elle a dû tricher sur sa date de naissance.

-Et ça, c'est quoi ?

L'attaché du Consul lui a mis sous le nez la copie de mon passeport, il est alors devenu livide.

- Je n'ai pas dû bien comprendre, mon français n'est pas parfait.

- J'espère que vous allez aider votre amie avec plus d'efficacité, nous nous reverrons plus tard.

Il a quitté le bureau après avoir certifié à M. Vanto que personne ne s'apercevrait de l'erreur.

En quittant l'ambassade, j'étais partagée entre la colère et l'incertitude. Je n'avais plus du tout envie que Ram retourne avec moi au village et, en même temps, je pensais que je n'avais pas le choix.

Lorsque nous sommes revenus à mon hôtel, Ram m'a tendu un bout de papier.

- Qu'est ce que c'est ?

- C'est la facture du taxi, le chauffeur veut être payé aujourd'hui.

J'ai regardé le montant, il était le double de ce qu'il m'avait annoncé au départ.

- Ce n'est pas possible, il doit y avoir une erreur.

- Non, j'ai fait le calcul avec le chauffeur et le total est exact.

La facture était certainement fausse, c'était lui qui l'avait faite. De cette manière, il pouvait se rémunérer généreusement en sauvant les apparences, puisqu'il ne me demandait pas d'argent pour lui directement. Comment avais-je pu être aussi naïve !

- Depuis le début de mon séjour, tu n'es pas clair. Nous devions avoir l'autorisation du district en trois jours, je suis au Népal depuis bientôt trois semaines et je n'ai pas avancé d'un pouce. Tu me parles mal, tu profites de moi et tu ne me respectes même pas. Alors, maintenant, ça suffit.

Le ton montait, la colère s'exprimait. Enfin, je me libérais de ce pouvoir qu'il exerçait sur moi. Il était sans voix, surpris par mon changement d'attitude. Durant trois semaines, j'avais été docile, n'arrivant pas à m'affirmer et, d'un seul coup, j'inversais la situation.

Narayani était dans un coin et se faisait toute petite. Ram a ensuite tenté de me culpabiliser.

- Je t'ai consacré tout mon temps, je t'ai aidée à construire les dossiers et aussi à…

- Arrête Ram, tu perds ton temps, je ne te dois rien.

Nishu

Je lui ai réglé sa facture, il n'était pas question que j'aie des dettes envers lui. Ensuite, il est parti en prétextant un rendez-vous important.

Narayani est restée avec moi, j'en ai profité pour lui conseiller de loger chez Krishna.

- Je préfère dormir chez Ram, je m'entends bien avec sa femme et il m'a promis de m'aider à chercher du travail.

Il était inutile d'en discuter davantage.

- Allons chez Krishna, il pourra peut-être me trouver un taxi pour descendre au village.

Narayani m'a suivie mais avec beaucoup de réticences, Krishna a écouté le récit de la dispute. Lorsque je lui ai fait part de mon intention de retourner au village le plus vite possible mais seule, il a paru soulagé.

- Je n'ai jamais apprécié Ram et j'ai préféré me tenir à l'écart mais, aujourd'hui, je suis très heureux de pouvoir t'aider. Je vais te trouver un taxi, il ne faut plus perdre de temps. Il a attrapé le téléphone et a composé plusieurs numéros. Après qu'il ait eu passé un certain nombre d'appels, il m'a annoncé avec un air satisfait :

- Un taxi passera te prendre jeudi matin, à six heures à ton hôtel.

Nous étions mardi, ce qui me laissait une journée pour me reposer. Je suis retournée à mon hôtel et Narayani est repartie chez Ram.

Je me sentais libre et légère, j'avais pris la bonne décision. En écartant Ram de ma route, je me sentais finalement plus forte. Je comprenais aussi que s'il m'avait fait vivre trois semaines infernales, c'était pour m'obliger à mettre en place mes limites. J'avais permis à Ram de ne pas me respecter puisque je ne m'étais pas opposée à lui. Il était un outil pour m'apprendre à me définir et à exprimer mon désaccord.

J'étais encore dans mon sommeil lorsque le téléphone a sonné. J'ai jeté un rapide coup d'œil sur ma montre, il était huit heures du matin. J'ai décroché, c'était Ram. Il voulait savoir si j'avais besoin de lui pour ce deuxième voyage à Jyamire. C'était certainement Narayani qui avait dû lui faire part de ma décision.

- Je te remercie de ta gentillesse mais je pense y aller seule. Le père de Tej s'est proposé de m'accompagner dans les différentes démarches. S'il y a un problème, je t'appellerai.

Je ne voulais pas le froisser tout en l'écartant de mon chemin.

- Très bien, surtout n'hésite pas, me dit-il d'une voix étonnamment douce.

En fin de matinée, je suis passée voir Krishna.

- Namaste, comment vas-tu aujourd'hui Patricia ?

- Je me sens mieux et surtout plus libre.

- Tej et Narayani descendront au village avec toi. J'ai aussi appelé Uttar pour lui annoncer ton arrivée.

- Je te remercie pour ton aide Krishna.

- Ne t'inquiète pas, tout se passera bien.

J'ai passé le reste de la journée dans ma chambre à préparer mon sac et j'ai surtout beaucoup pensé. Je ne savais pas pour combien de temps je partais. Peut-être une semaine ou bien deux ? Dans l'éventualité que le district continuerait de s'opposer à mon dossier, j'avais résolu de tout arrêter. Rien que d'y penser, les larmes me noyaient les yeux. Je ne devais pas me laisser aller et, pour effacer toute trace de pensées négatives, je me suis répété une bonne partie de la journée : « Aie confiance et sois forte ! »

À six heures du matin, nous traversions Katmandu, il y avait encore très peu de trafic. Des femmes lavaient du linge, d'autres portaient de l'eau et, puis, c'était aussi l'heure des offrandes aux abords des temples hindous. J'étais fascinée par leur dignité, vêtues de leur sari sans aucun artifice, elles étaient si belles. La condition des femmes et la vie des enfants de ce pays m'interpellaient de plus en plus.

À la sortie de la ville, nous avons fermé les vitres du taxi pour ne pas respirer les gaz d'échappement d'une dizaine d'autobus qui attendaient les uns derrière les autres de pouvoir entrer dans la ville. Ils avaient roulé de nuit depuis Pokhara, Gorka, Chitwan, Darjeeling, Delhi ... Le spectacle était impressionnant mais surtout polluant.

J'ai fermé les yeux pour me rapprocher de ma fille, j'allais la retrouver et c'était un vrai bonheur. Narayani m'a sortie de mes pensées pour me montrer un prospectus. C'était un lieu de pèlerinage hindou ; j'ai cru comprendre qu'elle voulait que l'on puisse y aller samedi.

- Narayani, je suis désolée mais je n'ai ni l'esprit ni le temps pour jouer au touriste.

- Tu n'as pas compris. Je me suis déjà rendue à ce temple avec mon frère et Ram, l'autre samedi.

Oh oui, je m'en souvenais ! J'étais restée au village toute la journée sans savoir où ils avaient bien pu aller. Aujourd'hui, j'avais la réponse. Ce qui m'agaçait le plus, c'est que Laxmi n'avait pas été invitée à cette sortie.

À neuf heures, le taxi s'est arrêté pour la pause, nous étions à mi-chemin de Jyamire. Mes amis ont mangé le dal bhat dans une gargote[5], j'en ai profité pour marcher un moment au bord de la route. J'ai acheté de l'eau minérale et des bananes, puis Tej est venu me chercher. C'était l'heure de partir.

La deuxième partie du voyage a été plus difficile, la voiture a manifesté quelques problèmes. Le chauffeur était inquiet mais, heureusement, nous avons pu arriver au village sans tomber en panne.

À l'entrée de Jyamire, j'ai aperçu une petite tête brune que j'ai immédiatement reconnue : c'était Nishu. Lorsqu'elle a entendu le bruit de la voiture, elle a tourné la tête. Comme d'habitude, elle était seule, le regard perdu. Je suis descendue du taxi et je lui ai tendu mes bras. Elle m'a tout de suite reconnue et ne m'a plus quitté de la journée. J'étais si heureuse de sentir à nouveau sa petite main s'accrocher à la mienne.

À la maison, Uttar et Thapa, le maire du village, étaient déjà en grande discussion. Je me suis assise à leur côté avec Nishu sur mes genoux, Laxmi avait posé sa main sur mon épaule. Ils avaient déjà fait le programme de la journée du lendemain. Une chose était sûre : ils étaient tous contents que Ram ne soit pas revenu. Ils n'avaient pas du tout aimé son excès d'autorité et son manque de respect envers les fonctionnaires du district. Uttar pensait même que son comportement était certainement à l'origine du refus de la signature de mon dossier. Laxmi m'observait et me souriait, personne ne lui demandait son avis mais sa présence me portait.

---

5 Gargote : Restaurant à bon marché, où la cuisine et le service manquent de soin.

La rencontre

Avec les enfants, nous avons fait une longue promenade dans le village. Nishu était heureuse et commençait à vouloir me situer. Elle me présentait en m'appelant ama, j'acquiesçais par un signe de la tête et, très fièrement, elle me donnait sa main pour bien montrer que le lien existait. En revenant de notre marche, Narayani est venue me prévenir que le chauffeur du taxi avait dû s'absenter, il serait de retour vers dix-sept heures.

La nuit est venue, mais pas le taxi. Je n'avais pas d'autre solution que de dormir chez Laxmi. Jusque-là, j'avais tout fait pour repousser cette échéance, mais la vie me mettait en face de ce que je devais vivre. Ce n'était pas un hasard si le chauffeur n'était pas revenu.

Nita était ravie, elle a décidé que je dormirais avec elle. La soirée a été douce, nous étions tous assis devant la maison et nous avons échangé des pensées sur la vie. J'étais en famille et je me sentais bien. Rajendra et Palden ont répété leur leçon d'anglais pour le lendemain ; avec Nita nous admirions la beauté du ciel étoilé. En fin de soirée, nous avons accompagné Nishu à sa maison et l'heure du coucher est arrivée.

Nous étions dix et il n'y avait que quatre lits. Je partagerais le mien avec Nita ; dans l'autre lit, il y avait le grand-père. Étant malade, il dormait seul. Au sol, entre les deux couchages, la grand-mère et Rajendra avaient déjà installé leur natte. J'ai entrouvert les volets de bois pour avoir un peu d'air et je me suis couchée.

Cette première nuit a été un vrai cauchemar. Le grand-père a toussé sans interruption, il a dû se lever plusieurs fois pour aller cracher devant la maison. À chaque sortie, il marchait sur la grand-mère qui râlait ou criait. Dans la pièce, il y avait peu d'air et la présence des barreaux à la fenêtre me faisaient penser à une prison, j'avais envie de pousser les murs pour mieux respirer.

À cinq heures et demi du matin, Laxmi a allumé la lumière et a réveillé les enfants. Pendant la période de la mousson, l'école commence très tôt dans le Sud du Népal afin d'éviter aux enfants les grosses chaleurs de la journée. À six heures, ils ont quitté la maison sans avoir mangé, ils reviendraient à neuf heures pour le premier repas. Mon petit-déjeuner fut simple, un verre d'eau bouillie. Je me suis recouchée un moment ; il faisait froid et il n'y avait pas grand-chose d'autre à faire. Au lever du jour, j'ai eu la surprise de voir Nishu entrer dans la chambre encore tout endormie, je l'ai allongée à côté de moi pour lui faire un gros câlin. Lorsque je me suis levée, elle m'a suivie et a commencé à vouloir enlever son T-shirt. Elle m'a pris la main et m'a amenée à la pompe à eau, me demandant de la doucher. Laxmi lui a lavé son unique vêtement, il serait vite sec, on sentait déjà la différence de température avec celle du lever du soleil. Après la douche, j'ai appris à masser ma fille à la népalaise avec de l'huile de coco.

À neuf heures, les enfants sont revenus de l'école et ont mangé leur dal bhat, Nishu s'est assise avec eux et a partagé leur repas. Ma fille ne s'exprimait toujours pas, ses gestes étaient saccadés, sans cohérence. Quelques fois, je me surprenais à avoir peur qu'elle ne puisse jamais vraiment parler et retrouver un équilibre.

Le taxi n'ayant toujours pas donné signe de vie, nous nous sommes rendus à Bharatpur en autobus. Thapa, le maire du village, nous a accompagnés, il connaissait personnellement un des fonctionnaires du district et pensait qu'il pourrait peut-être nous faciliter les démarches. L'autobus était bondé, une poule n'aurait pas pu y trouver sa place. Nous étions tous serrés les uns contre les autres et, par chance, j'étais à côté d'une vitre. Nishu était accroupie entre mes jambes. Elle y est restée une demi-heure, le temps du trajet. En arrivant au district, Narayani m'a demandé de ne pas les suivre dans le bâtiment.

- Patricia, tu vas rester à l'extérieur. Regarde là-bas, il y a un arbre et un banc où tu peux nous attendre.

À midi, elle est venue me tenir compagnie un moment.

- Quelles sont les nouvelles ?

- Le nouveau chef a été nommé mais il n'est pas présent. Il reçoit une haute personnalité religieuse hindoue et personne ne sait quand il reviendra à son bureau. Thapa essaie de prendre contact avec plusieurs fonctionnaires. Tu as déjà l'enquête de police de Jyamire. Si on obtient l'accord, en deux ou trois jours maximum tout sera terminé. Ne bouge pas, je retourne dans les bureaux.

J'apprenais à attendre en respectant le rythme de la vie népalaise. Mon impatience naturelle était bien malmenée depuis le début de mon voyage. Ici, ma lutte intérieure ne trouvait pas d'écho, j'étais contrainte de modifier mon attitude et d'apprendre un autre genre de vie.

La rencontre

À la fermeture des bureaux, mes amis sont sortis du district. Ils avaient eu un bon contact avec l'un des fonctionnaires et avaient rendez-vous avec lui le lendemain. J'étais surprise de ne rien attendre de cette rencontre, je me détachais peu à peu de ces espoirs ou faux espoirs.

Lorsque nous sommes arrivés à la maison, Uttar est allé voir son ami Thapa qui était rentré plus tôt que nous. J'ai mangé mon dal bhat avec Nishu, puis j'ai rejoint Laxmi et Narayani qui discutaient de notre journée avec des voisines, devant la maison.

De loin, on aperçut Nita qui courait vers nous et semblait tout affolée.

- Patricia, viens vite avec moi. Le maire demande à te voir. Il dit que c'est très important.

Je l'ai suivie et nous nous sommes dirigées vers une maison non loin de la nôtre. En pénétrant dans la pièce principale, j'ai eu la surprise de me retrouver face à une dizaine de personnes. Parmi l'assemblée, j'ai reconnu le beau-frère de Sharad. Narayani est entrée à son tour et s'est assise à côté de son frère. Le début de la réunion s'est déroulée en népalais. Je ne comprenais pas du tout le sujet de la conversation mais il semblait y avoir un désaccord. Narayani s'est tournée vers moi.

- Le beau-frère de Sharad subvient aux besoins des trois enfants, sans lui ils ne pourraient pas manger. Il te demande de l'aider financièrement en échange de l'adoption de Nishu.

Je ne devais surtout pas laisser s'exprimer la colère qui montait en moi, il fallait que je reste calme. Jamais je ne pourrais assumer moralement un marché pareil, cela m'était impossible. J'ai pris la parole en me répétant intérieurement de ne pas m'emporter.

- Je désire très profondément adopter Nishu, mais je ne peux imaginer une seconde devoir acheter ma fille. Si vous m'obligez à payer mon adoption, j'arrête tout, je remonte à Katmandu et je prends le premier avion pour la France. Je vous laisse dix minutes pour vous concerter et prendre votre décision. Si vous acceptez ma proposition, je ne veux plus jamais entendre parler d'argent dans cette adoption.

J'ai quitté la pièce et je suis allée dans le jardin. Je n'avais jamais bien ressenti le beau-frère, là au moins il se révélait. Sharad ne pouvait pas me demander une chose pareille mais, financièrement, il dépendait de cet homme et il n'était pas assez fort de caractère pour s'imposer. Au bout de quelques minutes, le maire est venu me chercher. Dans la pièce, on entendait les mouches voler, pas un bruit. Thapa a tenu à s'exprimer en anglais malgré ses difficultés à le parler ; il est resté debout pour donner un sens officiel à ce qu'il allait déclarer.

- Il ne sera plus jamais question d'argent pour cette adoption, vous avez ma parole et toute l'assemblée est d'accord sur ce point.

Sharad me l'a confirmé par un signe de tête ainsi que son cher beau-frère. Heureusement que le maire avait été le témoin de cette demande, il représentait une autorité et c'était loin d'être négligeable dans pareille circonstance.

En regagnant la maison, j'ai croisé plusieurs femmes qui m'ont encouragée et félicitée comme si elles étaient déjà au courant de la scène qui venait de se dérouler. Pour me réconforter, Laxmi a pelé une orange et m'en a offert une tranche. Nita, toujours prête à aider sa mère, a continué de faire le service. J'étais silencieuse, cet épisode m'avait déstabilisée, je devais faire attention aux petits pièges et, surtout, rester en accord avec moi-même. Céder à ce chantage m'aurait entraînée dans un tourbillon d'exigences dont je n'aurais jamais vu la fin.

Ce sont des hurlements d'enfant qui m'ont sortie de ma réflexion. Il faisait nuit et j'avais du mal à en situer l'origine. Rajendra, le plus jeune fils de Laxmi, est venu me chercher.

- Nishu n'est pas contente parce qu'elle a envie d'un biscuit et personne ne veut le lui donner.

- Où est-elle ?

- Viens avec moi, c'est juste derrière la maison.

J'ai trouvé ma fille rouge de colère dans une petite échoppe. Les enfants m'ont montré les paquets de biscuits sur l'étagère. J'en ai acheté un et je les ai distribués. Les hurlements ont doublé, elle se roulait par terre.

- Elle veut le paquet pour elle toute seule, me précisa l'un deux.

Je n'ai pas pu résister, je lui ai tendu un paquet de biscuit et les cris ont cessé. C'était un beau caprice. En rentrant à la maison, je lui ai quand même dit que je ne cèderais pas à chaque fois.

Désormais, j'avais un lit pour moi toute seule, bien que j'aie eu à partager la chambre avec Narayani et Nita. N'étant que trois personnes dans la pièce, je me sentais plus à mon aise, je dormais mieux et mes nuits étaient plus calmes. J'entendais toujours le grand-père tousser, mais un mur nous séparait et c'était plus supportable.

Le lendemain, nous étions à dix heures devant les bureaux administratifs, j'y ai retrouvé mon arbre et mon banc. Il faisait chaud et l'humidité augmentait chaque jour un peu plus. Vers treize heures, Narayani est venue me chercher. Un fonctionnaire désirait me rencontrer.

Je pénétrai pour la première fois dans l'enceinte du bâtiment. C'était vétuste, il y avait beaucoup de monde dans les couloirs qui attendait. Je suis entrée dans un bureau dans lequel étaient déjà présents Sharad, Uttar et Thapa, le maire du village. Dans l'encadrement de la porte, une dizaine de personnes se sont poussées pour venir écouter ce qui allait se dire.

J'ai salué le fonctionnaire qui m'a invitée à m'asseoir sans me regarder. Durant une demi-heure, il a consulté mon dossier. De temps en temps, il s'adressait au maire pour lui poser des questions pour ensuite plonger de nouveau son nez dans les papiers. C'est alors qu'il a pris une petite calculatrice de poche, et s'est mis à faire des additions, des soustractions. Enfin, il a levé les yeux sur moi.

- Quel âge avez-vous ?

J'ai avalé ma salive et, pendant quelques secondes, j'ai été troublée, mais je m'attendais à cette question.

- Je vais avoir quarante et un ans.

Il a refait ses calculs et m'a longuement dévisagée. Il devait chercher un repère physique pour vérifier ses doutes.

- Êtes-vous sûre de votre âge ?

- Bien sûr, lui ai-je répondu, en lui confirmant ma date de naissance.

De nouveau, il a refait ses comptes, il essayait certainement de calculer la correspondance de ma date de naissance avec le calendrier népalais.

- Je ne peux prendre aucune décision sans l'accord du chef de district. Je vous conseille de vous présenter dimanche.

Il a fermé le dossier et s'est levé.

Mes nerfs commençaient à lâcher. Mes larmes et ma colère étaient impuissantes face à ce mur que représentait l'administration.

En regagnant la sortie du district, Narayani a tenté de me rassurer.

- Demain, c'est une journée fériée et samedi les bureaux sont fermés. C'est pour cette raison qu'il t'a demandé de revenir dimanche.

- Si tu crois que je n'ai pas compris ! Dimanche, il m'annoncera qu'il y a un autre problème et il me fera attendre jusqu'à mardi ou mercredi parce que tout simplement, personne ne veut prendre de décision.

Dans l'autobus, je pleurais encore et tout le monde me regardait. J'en avais assez d'être bloquée et de ne pas avancer, même le taxi n'était pas revenu. Je savais bien que tout s'agençait pour m'obliger à vivre selon un autre code, je comprenais encore certains signes mais, pour mon dossier, c'était le néant.

À la maison, toutes les femmes du village sont venues entendre les dernières nouvelles. Mon histoire ne m'appartenait plus, elle était devenue celle de Jyamire. Je me suis allongée sur mon lit et, en quelques secondes, ma chambre a été envahie. Désespérément, je tentais de trouver de l'aide et de la force dans le regard de toutes ces femmes.

- Peut-être que la vie ne m'autorise pas à adopter Nishu et que je dois l'accepter.

À ces mots, l'une d'elle qui allaitait son bébé me dit :

- Si tu ne peux pas adopter Nishu, ne t'inquiète pas, nous te donnerons un autre enfant.

Toutes les autres approuvèrent. Me voyant sombrer, Laxmi a fait sortir tout le monde de la chambre. Elle m'a demandé de m'allonger sur le ventre et m'a fait un massage népalais fait de pressions avec les mains. Tout doucement, mon corps et mes tensions se sont relâchés et je me suis endormie jusqu'au lendemain matin.

À mon réveil, j'ai pris conscience qu'il y avait une lutte en moi. Je me retenais et ne me laissais pas totalement aller, que ce soit dans ma relation avec ma fille ou bien durant mon séjour au village. Si je continuais à m'obstiner et à me bloquer ainsi, je courais à la catastrophe. Il fallait absolument que j'inverse le processus et que j'accepte de vivre ces moments comme une extraordinaire expérience. Je changerais alors sûrement le cours de ma vie. Mon moral venait de craquer, ce qui était plutôt bon signe puisque cela signifiait qu'une résistance venait de céder. La sagesse pouvait reprendre le dessus, j'avais deux journées de libre que j'allais consacrer à ma fille.

Pour commencer, j'ai décidé de me laver le corps et les cheveux. Narayani et Nita ont pris deux couvertures, l'une pour mettre devant la fenêtre qui n'avait pas de vitre, juste des barreaux et, l'autre, pour la porte de la chambre. Chacune ferait la garde devant ces protections. Dans la maison, il était impossible de rester seul cinq minutes. Il y avait toujours des enfants qui venaient voir ce qu'il se passait ou bien une voisine qui se postait dans le couloir, dans l'attente de nouvelles informations. Je suis allée chercher deux grands seaux d'eau et, dans les rires, je me suis savonnée et rincée. Ce moment d'intimité que j'ai partagé avec Nita, Laxmi et Narayani, sous l'œil amusé de la grand-mère, me rapprochait un peu plus de cette famille que j'aimais tant.

Nishu a accepté de m'accompagner pour une petite promenade sur les chemins du village à la rencontre de tout et de rien. Je lui parlais de la vie, lui montrais les fleurs d'hibiscus ou bien les petites chèvres qui broutaient devant la maison. Elle m'écoutait en silence et mimait mes gestes, fermant ses yeux et respirant comme je le faisais. Nous nous rapprochions doucement l'une de l'autre, nos regards se croisaient, nos mains se cherchaient ; cet échange était au-delà des mots. Mon plus grand bonheur était de voir ma fille me tendre ses bras. Elle posait alors sa tête sur mon épaule et sentait l'odeur de ma peau en nichant son petit nez dans mon cou.

Pendant la sieste de Nishu, Nita m'a demandé de lui montrer le contenu de ma trousse de toilette. Elle a vite repéré une petite paire de ciseaux que j'utilisais pour couper les quelques mèches qui balayaient mon front.

- Est-ce que tu peux me couper les cheveux ?

- Bien sûr, mais demande à ta maman.

Laxmi a donné son accord et, sans perdre de temps, Nita s'est lavée la tête et s'est assise sur l'unique chaise, devant la maison. J'ai commencé la coupe en compagnie de plusieurs femmes du village qui se sont beaucoup amusées du spectacle. Je lui ai fait un superbe carré bien réussi et tout le monde a applaudi. La meilleure amie de Nita a voulu elle aussi que je lui coupe les cheveux. Très vite, j'ai dû me remettre au travail. Lorsque j'ai eu fini, j'ai demandé à Narayani en plaisantant si elle aussi avait envie d'avoir une nouvelle coiffure. Très gênée, elle m'a répondu :

- Je ne peux pas le faire sans l'autorisation de mes parents.

- Mais Narayani, tu as bientôt vingt-sept ans !

- Viens avec moi, on va marcher un peu. Ici, je ne peux pas te parler, il y a trop d'oreilles.

Je l'ai donc suivie, nous nous sommes retrouvées au milieu du champ, juste en face de la maison.

- Il faut que tu saches, qu'au Népal, la femme n'a aucune liberté. Tant que je ne serai pas mariée, ce sont mes parents ou mon frère qui décideront pour moi, et je ne veux pas me marier parce que je ne peux pas choisir mon mari.

- As-tu déjà connu un homme dans ta vie ?

Elle a baissé ses yeux, de peur qu'ils ne la trahissent et ne me donnent la réponse.

- Une femme Népalaise ne répondra jamais à cette question, même à sa meilleure amie.

Narayani avait conscience des conditions de vie très difficiles devant lesquelles les femmes de son pays se trouvaient confrontées. Elle vivait résignée mais, avec lucidité, elle observait ces injustices.

- En Inde comme au Népal, de nombreuses femmes mariées subissent des violences de tous genres qui sont, pour la plupart, le fait de l'entourage de la belle-famille. Elles peuvent être arrosées de kérosène et leur sari prend feu ; beaucoup parmi elles en meurent ou bien gardent des séquelles à vie. Il y a aussi des empoisonnements, des femmes battues ou attaquées au khukuï, un poignard népalais.

- Comment cela est-il possible ?

- Les raisons sont nombreuses. Cela peut être une épouse qui ne peut pas avoir d'enfant, ou qui ne met au monde que des filles. Quelquefois, c'est tout simplement une belle-fille devenue trop encombrante ; si elle disparaît, son mari pourra se remarier et une nouvelle dote entrera dans la famille.

- Il y a bien une enquête de police qui est faite ?

- Bien sûr, mais l'enquête conclura à un accident. Il est très rare qu'un mari ou qu'une belle-mère soit poursuivi par la justice. Maintenant dans le pays, des femmes se regroupent et commencent à manifester leur désaccord.

- Narayani, dans de nombreux pays, des femmes luttent avec détermination pour faire reconnaître leurs droits. Un jour, vous aussi, vous y arriverez. C'est en semant des petites graines que vous pourrez transformer votre condition. Tu n'as déjà plus les mêmes idées que ta mère, et tu contribues ainsi à l'évolution de la condition de la femme au Népal parce que ton regard a changé. Si un jour, tu as une fille, tu lui transmettras cette nouvelle pensée et, à son tour, elle la fera évoluer.

Des larmes coulaient sur son visage, elle se savait condamnée au fait qu'un jour son frère déciderait de lui chercher un mari. Nous sommes revenues à la maison en silence. Que pouvais-je lui dire de plus ?

Dans la maison, il y avait du mouvement ; en fait, c'était une réunion dans la chambre du grand-père. Il y avait Thapa, Uttar et un nouveau venu, l'instituteur de l'école privée du village, Sambu. Le père de Tej avait eu une idée et il voulait me la soumettre.

- Comme nous avons de grosses difficultés pour obtenir l'autorisation du district, j'ai pensé à prendre un avocat. Mais pas n'importe lequel, un avocat communiste pour être mieux introduit au district.

J'ai trouvé l'idée géniale, je n'y avais jamais pensé. D'autres personnes nous ont rejoints et c'est devenu une vraie réunion où chacun a commenté la proposition et a donné son avis. Garder un secret à Jyamire relevait de l'impossible, je le vérifiais chaque jour. Dans les moments les plus difficiles où je ne percevais plus la lumière sur ma route, ce village prenait le relais, il me portait et me donnait l'énergie dont j'avais besoin.

Uttar était très fier de lui, je l'ai félicité et remercié. Ils ont décidé que tous iraient à Barathpur le lendemain pour trouver un avocat, et Sambu m'a promis qu'à la fin de la semaine prochaine, j'aurais obtenu ma signature. Laxmi, qui était dans le couloir, n'avait pas perdu une miette de la réunion.

Sambu s'est avancé vers moi.

- Tous, nous voulons t'aider. Nous t'aimons beaucoup et nous ferons l'impossible pour obtenir la signature dont tu as besoin. Demain, tu resteras au village pour te reposer et je te ferai visiter mon école.

- Merci beaucoup, Sambu. Cette idée de l'avocat, je la ressens bien et j'y crois.

Chacun prenait son rôle très au sérieux. Tout le village se mobilisait pour qu'une petite fille et sa maman se retrouvent. À chaque fois que mes résistances lâchaient, un événement se manifestait. Tout était bien orchestré pour m'obliger à rester à Jyamire ; je savais aussi que mon dossier serait bloqué tant que je n'aurais pas épousé corps et âme la vie népalaise.

Rajendra est arrivé en courant pour annoncer le taxi qui s'est garé quelques minutes plus tard devant la maison. Le chauffeur ne savait pas comment s'y prendre pour m'expliquer les raisons de son escapade. En fait, la voiture était tombée en panne et il avait dû attendre que son patron lui apporte les pièces de Katmandu. Il ne fut pas du tout surpris que je lui annonce que je n'avais plus besoin de ses services. Il est remonté dans son véhicule, et il est reparti.

Nishu s'était approchée de moi et m'avait pris la main. En voyant le taxi, elle avait eu peur que je ne reparte avec lui. Je me suis agenouillée pour être à sa hauteur et je l'ai serrée contre moi.

- Tu sais, Nishu, je ne t'abandonnerai pas. C'est dur, mais on doit y arriver.

Avec son doigt, elle m'a montré ses sandales en plastique, elles étaient cassées.

- Ne t'inquiète pas, demain nous irons ensemble à Tadi Bazar pour en acheter d'autres.

Nita a assuré la traduction en népalais et un grand sourire est venu balayer l'inquiétude sur son petit visage.

La nuit tombait, Laxmi est venue nous prévenir que le dal bhat était prêt. J'avais très faim et, sans attendre, je me suis dirigée vers la cuisine avec ma fille. Je me suis assise sur la marche qui donnait accès au domaine réservé de Laxmi. Nishu s'est déchaussée et a mangé à l'intérieur, sur le sol en terre battue.

Après le dîner, j'ai accompagné Nishu chez son père. Je ne comprenais pas comment ils dormaient, il n'y avait qu'un seul lit et ils étaient cinq. Les séparations avec ma fille devenaient de plus en plus difficiles, pour elle et pour moi. Elle s'est accrochée à mes bras, me demandant de rester. Je devais être prudente et attendre que j'aie au moins la signature du district pour la garder avec moi la nuit.

C'est un violent orage qui m'a réveillée à trois heures du matin. La tôle ondulée, qui faisait office de toit, tremblait et amplifiait le bruit des énormes gouttes d'eau. J'ai vraiment eu le sentiment que le ciel allait nous tomber sur la tête. Assise sur mon lit, j'ai écouté la foudre, j'ai fermé les yeux et je me suis isolée du peu de repères que j'avais. Durant quelques instants, je n'ai plus su où j'étais ni qui j'étais, puis j'ai senti une légère pression sur mon épaule. J'ai ouvert les yeux, c'était Laxmi. Elle tenait dans sa main une bougie et m'a demandé si j'allais bien. Je l'ai rassurée puis je me suis recouchée. Je ne percevais plus ma vie et je ne faisais plus le lien entre les événements. J'étais dans un état de déprime où il m'était impossible de penser un mot positif, c'était le trou noir. J'avais peur de la vie, peur de l'orage, peur de me tromper. Je me suis recroquevillée sous ma couverture en pleurant et je me suis endormie.

Au matin, j'ai pu deviner à travers les planches de bois, qui faisaient office de volets, un ciel bleu. Je me suis vite levée et je suis allée dehors. Au loin, j'ai aperçu la chaîne des Himalayas. Devant tant de beauté, tous mes sens se sont éveillés. À nouveau, je me suis sentie en harmonie avec ce lieu, il vibrait en moi. Je n'étais pas là par hasard et il n'y avait pas d'erreur sur ma destination. Le soleil a ainsi balayé toutes les traces de ma déprime nocturne et j'ai puisé en sa lumière l'énergie dont j'avais besoin pour vivre cette nouvelle journée.

Ne voyant pas apparaître ma fille comme à chaque matin, je suis allée à sa rencontre. Elle n'était pas non plus sur le chemin ; inquiète, je me suis rendue chez elle. En entrant dans sa maison, je l'ai trouvée au milieu de l'unique pièce avec un air sombre. Lorsqu'elle m'a vue, elle s'est mise à hurler et ne s'est pas laissée approcher. Je n'ai pas insisté et je me suis dirigée vers la porte. Les cris ont alors doublé, elle ne voulait pas que je parte. Je me suis assise devant la maison et j'ai attendu. Elle est arrivée quelques minutes plus tard, tenant dans sa main un peigne plus que douteux et me l'a tendu pour que je la coiffe. Nishu voulait une maman mais n'était pas encore prête à se donner entièrement. Lorsqu'elle fut habillée, nous sommes allées acheter des fruits et du pain, main dans la main.

Sambu et Uttar étaient partis à Barathpur à la recherche d'un avocat et ne seraient de retour qu'en fin d'après-midi. Je me suis

Nishu

assise devant la maison à côté de la grand-mère, Nishu jouait devant nous avec un petit chevreau.

- Ta fille va déjà mieux, elle ne parle pas encore mais ça viendra.

Narayani et Laxmi sont venues se joindre à nous ; elles ont discuté un moment ensemble et, ensuite, Narayani s'est adressée à moi.

- Laxmi aimerait te parler de Nishu et elle me demande de te traduire ce qu'elle a à te dire.

Nous étions toutes les quatre autour de Nishu, c'était le moment des confidences. Même si je ne comprenais pas le népalais, je ressentais par sa voix l'importance de ce qu'elle voulait me transmettre. Je l'ai écoutée avec beaucoup d'attention, jusqu'à ce que Narayani me fasse la traduction.

- De nombreux indiens sillonnent certaines régions du Népal à la recherche de petites filles népalaises à la peau claire, dans le but d'alimenter des réseaux de prostitution en Inde. Nishu étant tout le temps seule sur les chemins, livrée à elle-même depuis un an, il fallait trouver une solution pour la protéger. C'est Laxmi qui a eu l'idée de proposer Nishu à l'adoption. Chaque fois qu'elle apercevait une femme, Nishu allait vers elle et lui tendait ses bras. La misère et la pauvreté ne permettaient à aucune famille du village de subvenir à ses besoins. Lorsque sa mère est partie, elle venait tout juste d'avoir deux ans et, depuis, Nishu errait sur les routes du village en espérant retrouver cette mère qui avait disparu.

J'en avais des frissons dans le dos ; la grand-mère a acquiescé pour confirmer les dires de sa belle-fille. Laxmi a veillé en permanence sur Nishu, comme si elle avait toujours su qu'elle m'était destinée. Il a simplement fallu attendre que toutes les conditions soient réunies pour que l'on puisse se retrouver.

C'était une discussion entre femmes. Laxmi avait pu s'exprimer librement. Pour elle, il n'y avait aucun doute, tout finirait bien. Elle a fini de parler en disant :

- Depuis un an, Nishu cherche désespérément une maman. En l'aimant, tu lui rendras la vie.

En milieu d'après-midi, nous avons pris l'autobus pour Tadi Bazar. Le magasin de chaussures était situé à proximité de la rue principale et Nishu a pu choisir ses sandales.

La rencontre

De retour à la maison, nous avons été accueillis par Sambu et un attroupement de villageois. Je le sentais très excité, il m'a invitée à m'asseoir et m'a raconté leur journée.

- À Bharatpur, nous avons pu trouver un avocat communiste, il nous recevra demain à onze heures. Nous avons une autre bonne nouvelle : le nouveau chef du district sera lui aussi à son bureau.

Cet avocat était ma dernière carte. Si ça ne marchait pas, je devrais m'incliner et tout arrêter. J'aurais alors beaucoup à comprendre sur ma vie.

Sambu m'observait ainsi que toute l'assemblée. J'ai mis du temps à m'apercevoir qu'ils attendaient tous que je réagisse à ce que Sambu venait de m'annoncer. Je les ai tous remerciés chaleureusement et j'ai alors ressenti un immense soulagement. Ensuite, c'est Uttar qui a tenu à s'exprimer, il désirait me donner un peu plus d'explications sur leurs démarches.

- Dans le Sud du Népal, il y a beaucoup de communistes. Les leaders sont très actifs et, au village, un grand nombre d'entre nous partageons leurs idées.

J'en ai conclu qu'ils étaient pour la plupart communistes. Ça ne me gênait pas, mais c'était étrange que l'aide puisse venir d'un mouvement politique.

Après la réunion, Sambu m'a proposé de me faire visiter son école. Je l'ai suivi avec Nishu.

Le bâtiment était peint à la chaux ; quant aux murs intérieurs, ils n'avaient jamais dû recevoir une couche de peinture. Les salles de classe étaient toutes petites et sombres, chacune d'elles ayant une minuscule fenêtre avec des barreaux comme unique source de lumière. Les élèves disposaient de simples bancs avec des tables en bois. Sambu était amoureux de son métier, il ne se lassait pas de me parler de son école et de ses projets pour la rendre plus accueillante.

Nous ne sommes pas restés très longtemps seuls, des dizaines d'enfants sont venus nous rejoindre, tout heureux que je m'intéresse à leur école.

Ce dimanche, à onze heures précise, nous étions dans le bureau de l'avocat à Bharatpur. C'était une sorte de garage dont la porte était ouverte sur la rue. Bien entendu, il n'était pas au rendez-vous, nous l'avons attendu jusqu'à treize heures. Il est arrivé en moto, a enlevé son casque et nous a salué. Il a échangé quelques mots avec Uttar puis, il est reparti.

C'est Narayani qui m'a retransmis l'information.

- Sa mère est hospitalisée et il doit lui rendre visite, il sera de retour dans une heure.

Autant dire que la journée était perdue ; de plus, je commençais à douter de son efficacité. En l'attendant, nous sommes tous allés manger dans une gargote, en face du bureau.

Il était quatorze heures trente lorsque l'avocat nous a reçus. J'étais tendue, mais je n'ai fait aucun commentaire sur son retard, bien que cela m'ait brûlé les lèvres. Uttar a pris les choses en main, j'ai supposé qu'il lui expliquerait ce que nous attendions de lui.

Narayani m'a demandé de quitter le bureau et d'attendre dans la rue. Lorsqu'elle est venue me chercher le sourire aux lèvres, j'ai eu un grand espoir.

- Tout s'est bien passé, l'avocat est d'accord pour s'occuper du dossier, ses honoraires sont de sept mille roupies - environ 106 euros.

Lorsque Uttar a vu que j'hésitais, il m'a certifié que tout serait fini à la fin de la semaine. J'ai donné mon accord après avoir vérifié que j'avais bien cette somme d'argent sur moi. Nous devions retrouver l'avocat une heure plus tard dans un petit restaurant. J'ai confié l'argent à Uttar, l'avocat ne pouvant pas accepter que ce soit une femme qui le lui remette. Je n'avais pas encore compris comment fonctionnait dans ce pays les relations entre les hommes et les femmes. Si on ajoutait à cela le système des castes, ça devenait totalement incompréhensible.

Au restaurant, l'avocat s'est adressé à moi pour la première fois dans un anglais très correct.

- Je connais bien le chef du district. Votre dossier étant conforme à la loi en cours sur l'adoption, je pense qu'en trois ou quatre jours tout devrait être terminé. Soyez demain à l'ouverture des bureaux, devant la grande porte.

Sur le chemin du retour, je me suis surprise à espérer. Je portais Nishu et je l'ai serrée contre moi.

- On avance doucement, mais je suis sûre qu'il va se passer quelque chose.

Elle m'écoutait et m'observait. Ses yeux noirs ne quittaient pas les miens et ils semblaient me dire :

- Tu n'as pas le droit de ne pas réussir.

Dans ces moments, l'émotion était si forte que je ne pouvais plus retenir mes larmes. Je pleurais d'épuisement, de désespoir, de bonheur, de révolte ; tout y passait. Ma fille touchait en moi quelque chose qui dépassait le stade de l'adoption.

Le lundi matin, nous avons retrouvé l'avocat devant le district. Sans attendre qu'on me le demande, j'ai pris ma fille par la main et nous avons retrouvé notre arbre. Assise sur mon banc, je me voyais toute petite, j'étais un minuscule grain de sable face à la vie. La France était si loin, si irréelle ; l'essentiel était ici. Mon existence se résumait à ce que je vivais là, maintenant. Mon corps et ma pensée ne luttaient plus à contre courant, ils se laissaient porter par le fil de la vie.

Narayani est sortie du bâtiment à quatorze heures.

- Ne t'inquiète pas, tout se passe bien, me dit-elle, pour me rassurer. Puis elle est repartie.

Nishu s'est endormie dans mes bras, j'avais chaud et, pourtant, je ne me lassais pas de serrer son petit corps contre moi.

À la fermeture des bureaux, Uttar, Narayani et l'avocat m'ont rejointe. Aucune signature n'avait été donnée mais le chef du district désirait me rencontrer, ce qui était plutôt bon signe.

Dans l'autobus, j'ai eu de violentes crampes à l'estomac. Etait-ce la faim ou la peur ? Certainement les deux. Il fallait réussir, je devais trouver en moi la force pour aller jusqu'au bout de cette expérience. Nishu m'a ramenée à la réalité en tirant sur mon T-shirt, elle avait soif. Nous étions tellement serrés les uns contre les autres que pour enlever mon sac à dos, j'ai dû me faire aider par plusieurs personnes.

Lorsque nous sommes arrivés au village, j'ai été étonnée de ne voir personne nous attendre assis devant la maison comme d'habitude. Nous avons trouvé la grand-mère en larme, accroupie au fond du couloir. Son mari n'allait pas bien du tout, il était allongé sur le lit de sa chambre et avait du mal à respirer.

Uttar a pris son vélo pour aller chercher le médecin et, lorsqu'il est revenu, il était un peu désemparé. Le médecin était débordé et il n'avait pu lui donner qu'une simple ordonnance pour acheter des médicaments. Il lui avait conseillé de rapatrier son père à Katmandu pour l'hospitaliser ; il avait la tuberculose et à Bharatpur les soins seraient insuffisants. Le seul moyen de locomotion était l'avion, puisqu'il n'y avait pas d'ambulance. Je savais que les tarifs n'étaient pas très élevés pour les Népalais. Devant l'inquiétude et la tristesse de la famille, j'ai proposé à Uttar de prendre en charge les frais du voyage et des médicaments.

La soirée a été triste, tout le monde pleurait. Les voisins sont venus soutenir la grand-mère et ses enfants ; je pensais vraiment que le grand-père allait mourir. Narayani a essayé de le convaincre de se rendre à Katmandu pour se faire soigner, il n'a rien voulu entendre et a refusé de quitter la maison.

Laxmi a veillé le grand-père toute la nuit, je l'entendais pleurer, impuissante devant la maladie. J'ai dû m'endormir épuisée.

Au matin, lorsque je me suis levée, le sourire était revenu sur toutes les lèvres de la maison. Le grand-père allait beaucoup mieux et Uttar a tenu à nous accompagner au district. C'était une journée importante, il ne voulait pas m'abandonner si près du but.

Le responsable du district nous a reçus à onze heures. Il s'est tout d'abord adressé à Sharad en népalais ; ensuite, il m'a demandé en anglais de me présenter. En lui faisant part de ma situation familiale, il s'est exclamé.

- Je suis très étonné que vous ne soyez pas mariée !

- En France, c'est une situation courante.

Je faisais très attention de ne pas le heurter dans mes réponses.

- Que deviendra votre fille si vous vous mariez ?

- Elle restera ma fille et continuera de vivre avec moi.

- Quelle profession envisagez-vous pour elle : docteur, ingénieur, professeur ?

La question m'a surprise. Je ne devais pas oublier que j'étais au Népal, dans une autre culture.

- Nishu choisira son métier. Si elle veut devenir docteur ou professeur, je respecterai son choix et je l'aiderai au mieux pour qu'elle puisse réussir.

La rencontre

Il m'a saluée et remerciée ; l'entretien était terminé. Narayani m'attendait dans le couloir et elle m'a guidée vers la sortie.

- Tu vas t'asseoir sur le banc ; si on a besoin de toi, je viendrai te chercher.

J'avais du mal à m'habituer à cette mise à l'écart et je ne comprenais pas du tout pourquoi je ne participais pas aux démarches. C'était un vrai mystère.

En milieu d'après-midi, Narayani est venue me voir tout affolée. C'était l'urgence. Il fallait faire au plus vite des photos d'identité pour Nishu, pour moi, ainsi que des copies de mon passeport. Je n'ai rien pu savoir de plus ; elle a refusé de me donner des explications et a disparu une nouvelle fois, jusqu'à la fermeture du district. Lorsqu'à seize heures, je les ai aperçu franchissant la grande porte, j'ai couru vers eux pour en savoir plus.

- Alors que se passe-t-il ?

C'est l'avocat qui m'a répondu.

- Le chef du district a donné son accord. Son adjoint constitue le dossier avec les diverses enquêtes et autorisations, tout sera fini demain.

- Demain ?

- Oui, sans aucun problème.

J'avais du mal à réaliser que j'avais réussi la première étape de mon adoption. Cette réponse que j'attendais depuis des semaines, m'a laissée sans voix.

Laxmi m'a accueillie comme si elle connaissait déjà le dénouement de cette journée. Elle a pris mes mains dans les siennes et m'a parlé avec la profondeur de son regard. C'était sa façon de communiquer, sans parole. Ensuite, elle m'a entraînée avec Nita dans la réserve à riz où trônait l'unique armoire de la maison. Elle en a sorti un sari de couleur fuchsia et m'a fait signe d'enlever mes vêtements. En quelques minutes, je suis devenue népalaise. Nita a apporté la touche finale, en me posant sur le front une tika[6]. J'ai rejoint l'attroupement de femmes qui m'attendaient devant la maison, escortée par Nishu. Elle n'en revenait pas de voir sa maman vêtue comme les femmes de son pays.

---

6 Tika : Poudre de vermillon que les hindous appliquent sur leur front, entre les yeux, symbole de la présence du divin en soi.

Nishu

Pendant quelques secondes, j'ai vu défiler devant mes yeux des images qui résumaient ce que je venais de vivre dans le Sud du Népal.

J'avais lutté, hurlé, pesté durant des semaines contre ce pays et tous les obstacles rencontrés sur mon chemin. Pour retrouver ma fille, j'avais un passage intérieur à franchir et aucune échappatoire n'était possible, il était incontournable. Je m'y suis pliée et je suis entrée dans ce tunnel noir et sombre. À l'intérieur, ce fut un face à face avec moi-même et les blessures profondes du passé se sont rouvertes. Mon corps et ma pensée ont souffert et pleuré, jusqu'à ce que ma conscience reconnaisse enfin ce pays. Il faisait partie de moi, de mes mémoires. Je l'avais nié jusqu'à ce que je me retrouve bloquée au village où j'ai eu à prendre un bain forcé dans les mémoires du passé.

Pour vivre ce passage, je n'étais pas seule. Laxmi était à mes côtés pour me soutenir et me guider. Ma fille avait été le moteur de cette expérience, puisque c'était pour la retrouver que j'avais pu traverser ce tunnel. Lorsque j'ai enlevé mes vêtements pour revêtir le sari, une partie de moi a reconnu ce pays, et je l'ai accepté. J'ai su, à cet instant, que mon voyage touchait à sa fin. J'avais en partie décodé ce que j'avais vécu durant ces dernières semaines. Tout le village a ainsi partagé ma joie, c'était notre réussite à tous.

Nishu s'était éloignée de nous pour rejoindre son frère et sa sœur non loin de l'école. Est-ce que j'avais le droit de les séparer ? Nishu semblait si près de Chandra. Ma fille a dû entendre mes pensées, car elle est revenue vers moi accompagnée de Chandra et Dinesh. Arrivée à ma hauteur, elle a regardé sa sœur et a posé sa main sur mes genoux en lui disant en népalais :

- C'est maman.

- Oui, je sais Nishu, c'est maman, a répondu Chandra.

Je me suis levée et j'ai ouvert mes bras, je les ai serrés tous les trois contre moi, même Chandra s'est laissée faire.

- Je ne connais pas la fin de notre histoire mais, si votre sœur rentre en France, jamais je ne vous éloignerai d'elle. Vous faites partie de sa vie et, donc, de la mienne. Je ne sais pas encore pourquoi nous vivons cela mais je vous promets qu'un jour je le saurai.

Chandra a levé vers mois un regard rempli de gratitude.

La rencontre

Nous sommes allés marcher ensemble sur le chemin ; Nishu me donnait une main, l'autre était pour sa sœur et Dinesh ouvrait la marche. Une histoire et des liens se tissaient, et chacun y trouvait sa place. Dans de tels moments, je ressentais la force de la vie. Ces trois enfants, je les aimais comme s'ils étaient les miens. À la suite de Chandra et Dinesh, j'en voyais de nombreux autres se tenant par la main. La seule chose dont ils avaient besoin, c'était qu'on leur ouvre le chemin. Je n'aurais jamais pu quitter Jyamire sans les avoir rassemblés, tous les trois, autour de moi.

Le lendemain, nous avons tout d'abord récupéré les photos d'identité. Nous étions mercredi, et nous avions six heures pour boucler le dossier. La journée a été longue. De temps en temps, Narayani sortait pour faire des photocopies et puis, plus rien, pas de nouvelles. Je n'y croyais plus, j'étais de nouveau dans les pensées négatives. À quinze heures quarante-cinq, soit un quart d'heure avant la fermeture des bureaux, Narayani est venue me chercher.

- Viens vite avec moi, tu dois signer plusieurs documents.

À l'intérieur du district, les bureaux se vidaient ; l'avocat allait d'une pièce à l'autre et je ne savais toujours pas si nous allions pouvoir finir à temps. Narayani me regardait et avec son index sur ses lèvres, elle me faisait signe de ne pas parler. À seize heures dix, l'adjoint du chef du district m'a remis tout mon dossier signé, c'était fini. J'ai remercié l'avocat et nous avons pris l'autobus pour Tadi Bazar.

Sambu et Thapa s'étaient joints à la famille pour ma dernière soirée à la maison. Ils étaient très fiers d'avoir pu m'aider dans mes démarches, sans Ram. Laxmi était debout dans le couloir, comme toujours, à l'écart de notre discussion. Je suis allée la chercher et je l'ai invitée à s'asseoir à mes côtés. Ensemble, nous avons établi le programme du lendemain. Je prendrais l'autobus à Tadi Bazar, à onze heures, et je remonterais seule à Katmandu. Nishu resterait au village avec son père le temps que j'aille à l'ambassade pour connaître la suite de la procédure. En ayant la signature du district, une porte s'ouvrait et elle devait me conduire à l'adoption de ma fille. J'avais franchi un grand obstacle et, pourtant, je ne me sentais pas vraiment heureuse. Toutes ces semaines que j'avais passées au village, je ne pourrais jamais les oublier. Cette grande famille m'avait aidée, aimée et portée comme si j'en avais toujours fait partie.

Nishu

Sambu m'a demandé d'être très prudente dans la suite de la procédure. Les communistes étaient au pouvoir et luttaient contre la corruption, mais certains fonctionnaires de Katmandu ne manqueraient pas de me tendre des pièges, en me demandant de l'argent. Il connaissait ma position dans ce domaine et je devais rester vigilante. Thapa, le maire du village, a décidé de contacter le chef communiste du Sud du Népal, il avait un siège au parlement et pourrait intervenir à Katmandu. Uttar s'est proposé de m'accompagner au ministère de l'Intérieur. L'aide était toujours bien présente autour de moi, j'avais tellement besoin d'eux.

Tôt le matin, je suis allée chercher Nishu. Je lui ai longuement parlé, elle m'écoutait en frottant sa joue contre la mienne. Laxmi m'avait promis de veiller sur elle, je pouvais quitter le village, rassurée. Lorsque j'ai dû me séparer de ma famille, il y a eu quelques émotions, mais la grand-mère s'est exprimée très clairement en remettant les choses à leur place.

- Tu dois prendre ton autobus et préparer l'arrivée de ta fille. Tu n'as pas de temps à perdre.

Nous avons tous ri. J'ai attrapé mon sac et j'ai embrassé une dernière fois Nishu et Laxmi qui la portait dans ses bras. Le cœur serré, je me suis retournée plusieurs fois pour dire au revoir à ma fille. Cette séparation était difficile mais je pensais déjà à l'après, à mon arrivée à Katmandu pour démarrer au plus vite la deuxième étape de l'adoption.

L'autobus était à l'heure. Bien que j'aie pu réserver une place à l'avant, j'ai dû la partager avec une autre personne. Nous étions donc toutes les deux assises sur le même siège. Je me suis faite toute petite pour prendre le moins de place possible. Quant à mon voisin, il a passé une grande partie du voyage à regarder le plafond, n'osant pas porter son regard sur moi. Le voyage fut une véritable aventure. Dans le plancher de l'autobus, il y avait un grand trou et de notre siège, on pouvait voir la route défiler sous nos pieds. Au bout d'une heure de trajet, je me suis aperçue qu'il y avait un garçon d'une dizaine d'années sur le toit qui avait une fonction bien particulière. Pour avertir le chauffeur qu'il pouvait doubler il sifflait et, lorsque l'autobus devait se rabattre, il tapait sur le pare-brise avec un bâton.

Narayani m'avait écrit sur un bout de papier le nom de l'arrêt où je devais descendre. De là, j'ai pris un taxi pour regagner l'hôtel.

La rencontre

La première chose que j'ai faite en arrivant dans ma chambre a été de prendre ma première douche depuis une éternité, me semblait-il. Je me suis longuement regardée dans la glace de la salle de bain. Mes cheveux s'étaient éclaircis, certainement à cause de mes longs séjours assise sur le banc en plein soleil. Je redécouvrais mon corps, ma peau et mon visage ; j'avais changé, je ne me reconnaissais pas.

J'ai consulté mon agenda, nous étions le jeudi 17 avril 1997. Je n'avais plus de repères avec le temps. Je suis allée boire un thé dans le jardin de l'hôtel pour tenter de faire le point sur mon voyage. Ma fille me manquait, Laxmi aussi. Il fallait absolument que je me ressaisisse, j'avais encore beaucoup à faire. Au village j'étais portée et guidée. À Katmandu, je me sentais seule, je ne ressentais pas d'aide, j'étais coupée de mon énergie. J'ai quitté l'hôtel pour rendre visite à Krishna. Il s'est immédiatement proposé d'aller dimanche au ministère de l'Intérieur. Les deux journées à venir étant encore fériées, la seule chose qui m'était possible de faire était d'aller à l'ambassade.

Lorsque je me suis retrouvée dans ma chambre, seule après le dîner, l'absence de ma fille m'a envahie. Comment avais-je pu la laisser au village ? Toujours ces peurs qui me retenaient et, donc, me limitaient. Et puis, qu'advenait-il de la partie de moi qui m'interdisait de devenir mère, je ne la localisais toujours pas. Ma décision fut vite prise : dès mon réveil, j'appellerais Narayani pour qu'elle demande à Sharad de monter Nishu à Katmandu.

Je me suis rendue à l'ambassade de France à pied, elle était à environ dix minutes de mon hôtel. J'aimais bien marcher dans les rues de Katmandu et me mêler à la foule malgré le bruit infernal des klaxons de voitures auxquels venaient s'ajouter les sonnettes des vélos et des rickshaws.

L'attaché du Consul m'a reçue sans trop me faire attendre. Je lui ai remis tous les documents du district de Chitwan et il les a longuement consultés.

- Je suis content que vous l'ayez enfin eu cette fameuse signature !

Il m'a tendu un papier avec la photo de ma fille.

- C'est étonnant que l'on vous ait délivré son document de sortie de territoire, il ne doit être donné que dans la phase finale de

Nishu

l'adoption. Ne le perdez surtout pas, c'est le passeport de votre fille.

- Que dois-je faire maintenant ?

- Vous allez pouvoir commencer la deuxième partie des démarches. Pour cela, vous devez vous rendre au ministère de l'Intérieur. Je vous conseille de ne pas leur cacher votre âge, les fonctionnaires de Katmandu sont plus avisés que ceux du sud. Faites aussi traduire en anglais tous vos documents délivrés en népalais par le district de Bharatpur, j'en ferai des copies.

De retour à l'hôtel, j'ai rappelé Narayani pour qu'elle me confirme l'arrivée de ma fille. Je l'avais déjà contactée tôt le matin, en espérant qu'elle puisse demander à Sharad de prendre l'autobus de onze heures. Ils étaient tous les deux, à cette heure, en route pour Katmandu et seraient à l'hôtel de Krishna vers seize heures. J'ai passé le reste de la journée à rêver. Dès que la mère qui sommeillait en moi se réveillait, je revivais.

En montant les marches de l'hôtel où travaillait Krishna, j'ai pu apercevoir ma fille assise sur un fauteuil, ils étaient déjà là. Lorsque je me suis approchée de Nishu pour l'embrasser, elle a tourné la tête. Elle n'avait pas du tout apprécié que je la laisse au village. Sharad était accompagné d'un ami qui parlait anglais. Je leur ai proposé de nous rendre tout de suite à mon hôtel pour que Nishu ne se retrouve pas brutalement dans un lieu inconnu.

Nous avons pris le thé sur la terrasse de ma chambre ; Nishu observait les lieux tout en écoutant son père parler. Je me suis levée pour aller chercher un lapin en tissu et un ours en peluche que je lui ai offerts. Elle les a serrés contre elle et les a montrés à son père. Elle dormirait cette nuit avec moi pour la première fois. Sharad était hébergé par un membre de sa famille à Katmandu et ne prendrait le chemin du retour que le lendemain matin. Je connaissais peu Sharad, c'était la première fois depuis notre rencontre que nous avions la possibilité de nous retrouver seuls. Ne sachant pas si cette opportunité se représenterait, j'ai demandé à son ami si Sharad pouvait me raconter la vie de Nishu depuis sa naissance. Spontanément, il a été d'accord. Ils ont parlé ensemble un bon moment avant que son ami ne me confie l'histoire de ma fille.

- Nishu est née au village, dans la maison familiale. À sa naissance, Sharad travaillait en Inde et, quand il a vu sa fille pour la première fois, elle avait six mois. Lorsqu'elle a eu environ un an, toute la famille a quitté le Népal pour aller vivre en Inde, dans le Pendjab. Quelques mois après leur arrivée, Sharad a appris que sa femme le trompait, ce fut pour lui une période difficile et il a beaucoup souffert. Il a décidé de rentrer au Népal avec Nishu, laissant les deux autres enfants avec leur mère. Quelques semaines plus tard, sa femme est revenue avec Chandra et Dinesh au village et a laissé les enfants avec leur père, et puis est repartie en Inde. Depuis ce jour, il ne l'a jamais revue.

Je me souvenais que Ram m'avait donné une autre version de la fin de l'histoire. La mère de ma fille avait bien regagné le domicile conjugal mais sa belle-famille l'en avait chassé, ne pouvant accepter qu'une belle-fille vienne salir leur honneur. Je penchais plus pour la deuxième fin de l'histoire.

L'ami de Sharad a ajouté pour finir :

- J'ai oublié de dire que Chandra et Dinesh sont nés tous les deux en Inde.

Nishu était donc la seule des trois enfants à être née au Népal. Elle avait connu durant les deux premières années de sa vie non seulement l'abandon de sa mère mais aussi une grande instabilité. Je commençais à mieux comprendre tous ses problèmes.

- Est-ce que Sharad se souvient à quel moment sa femme a quitté le village ?

- Elle est partie en juin 1996.

Curieusement, le 2 juillet 1996, j'avais fait ce rêve éveillé où la mère de Nishu m'avait confié sa fille. La vie n'avait vraiment laissé aucune place au hasard.

Avant que Sharad ne nous quitte, nous avons demandé à Nishu si elle était d'accord pour dormir avec moi à l'hôtel. Elle n'a pas hésité une seconde : c'était oui.

Nous nous sommes enfin retrouvées seules ; ces premiers moments ont été une phase d'observation aussi bien pour elle que pour moi. Assise sur mes genoux, Nishu a écouté avec beaucoup d'attention une petite histoire que je lui ai lue. Un peu plus tard, je lui ai donné sa première douche, elle fut très impressionnée par l'eau qui sortait du pommeau. Lorsqu'elle fut habillée, je l'ai placée devant la glace et là, j'ai senti son regard se transformer. Elle a touché ses vêtements et s'est longuement observée. Ce fut un moment très important, une vraie rencontre : le miroir lui renvoyait l'image d'une petite fille qu'elle ne connaissait pas. Elle demeurait silencieuse mais ses yeux noirs parlaient par l'émotion qu'ils contenaient.

Nishu

Pour ce premier soir, elle a eu beaucoup de mal à s'endormir, je me suis allongée près d'elle et je l'ai prise dans mes bras. Elle s'est accrochée à mon cou et a fermé ses yeux, son petit nez touchait le mien, ses mains me serraient très fort. Je respirais ma fille et plus rien d'autre n'avait d'importance.

À son réveil, Nishu s'est assise sur le lit et m'a souri. C'était le plus beau matin de ma vie, j'espérais pouvoir lui apporter autant de bonheur qu'elle m'en donnait. En fin de matinée, Krishna m'a appelée pour me prévenir qu'il se rendait au ministère de l'Intérieur. Nous avons convenu que je l'attendrais à l'hôtel et que, s'il avait besoin de moi, il me contacterait.

J'ai sorti de ma valise du papier et des feutres pour Nishu. Elle, qui n'avait encore jamais tenu un crayon dans sa main, a voulu tester toutes les couleurs. Elle était émerveillée par tout ce qu'elle découvrait. Notre communication n'évoluait toujours pas ; aucun mot, même népalais, ne sortait de sa bouche. Lorsque le personnel de l'hôtel lui posait des questions dans sa langue maternelle, il n'y avait pas de réponse. En quittant l'hôtel, une femme de ménage lui a demandé qui était sa maman ; Nishu a alors pointé son doigt vers moi. Je devais être patiente.

Nous sommes allées déjeuner dans un petit restaurant au centre de Thamel. Nishu a mangé avec beaucoup de délicatesse et, à la fin du repas, elle a poussé son assiette devant elle, en me disant :

- Fini, maman.

Je l'ai regardée surprise et pleine d'admiration. Elle avait parlé en français ! Je n'en revenais pas.

À partir de ce jour, Nishu s'est mise à répéter de nombreux mots avec facilité. Son visage s'épanouissait et elle commençait à rire comme tous les enfants. Dès que nous nous retrouvions dans la chambre de l'hôtel, elle se précipitait sur son livre et me le tendait. Je devais répéter inlassablement tout ce que son petit doigt désignait. Le déblocage avait eu lieu ; notre réunion avait produit un vrai miracle, même Krishna avait remarqué le changement.

La seule ombre à ces merveilleux moments était le dossier ; en effet, nous n'arrivions pas à obtenir son inscription. Krishna s'investissait beaucoup dans les démarches de mon adoption, il passait des journées entières au ministère et se heurtait chaque jour à des refus catégoriques de la part des fonctionnaires. J'étais rendue au bout de mes réserves physiques et je ne voyais aucune issue à ce nouveau barrage. Une fois de plus, j'étais devant un mur, face à moi-même. Durant ces longues journées d'attente, je me suis réfugiée dans la relation avec ma fille, mais les jours passaient et rien ne laissait entrevoir un seul espoir.

L'ambassade me conseillait de rentrer en France et de revenir à l'automne après mes quarante ans. J'étais déchirée à l'idée de me séparer de ma fille et de lui faire revivre une séparation, mais je n'avais plus la force nécessaire pour rester encore au moins quatre mois supplémentaires au Népal, seule avec Nishu.

Krishna a longuement hésité à me parler et, puis un jour, il a franchi le pas.

- L'officier du premier bureau qui enregistre les dossiers m'a demandé de ne plus me présenter au ministère avant le mois de septembre.

À ce stade, ma pensée ne répondait plus que par automatisme, mon cœur allait éclater de douleur.

Et il ajouta :

- Si tu restes au Népal, tu ne pourras pas rentrer en France avant le mois d'octobre, voire même novembre. Dès la mi-septembre, nous célébrons les fêtes Dassain - *fête en l'honneur de la déesse Durga -*, et Tihar -*fête des lumières qui marque la nouvelle année des Newars -,* deux fêtes hindoues importantes. Les administrations seront fermées plusieurs jours par semaine pendant plus d'un mois.

- Je sais bien que ce n'est pas raisonnable d'envisager cette solution mais il est préférable que je parte. Je reviendrai dès la fin des célébrations religieuses.

Mais où vais-je trouver la force de quitter le Népal sans Nishu. Je ne peux pas l'imaginer, c'est trop dur.

Je me suis rendue à l'agence de voyage pour réserver une place dans le premier avion. La seule disponible était le 30 avril. Nous étions samedi, il ne me restait plus que trois jours à vivre avec ma fille.

Lorsque je suis revenue à l'hôtel de Krishna, il a téléphoné à Sharad pour lui demander de venir chercher Nishu lundi après-midi. Je n'avais plus de voix, j'étais ailleurs, la souffrance m'étouffait. Avec beaucoup de douceur, Krishna a tenté de me réconforter. Il est allé chercher un calendrier népalais et, ensemble,

Nishu

nous avons choisi le meilleur moment pour mon retour. Ce serait vers la mi-novembre.

Dès que nous sommes rentrées à mon hôtel, j'ai expliqué à Nishu ce qui se passait. Je ne voulais pas la laisser dans la confusion, elle avait déjà perçu ma tristesse et je devais l'éclairer au plus vite au sujet de cette si douloureuse décision. Je me suis exprimée simplement, même si elle ne parlait pas encore bien le français, elle comprenait le sens de cette discussion. Je l'ai sentie très vite se refermer, déjà elle s'éloignait de moi pour ne pas trop souffrir. J'ai retenu mes larmes, je devais être forte et ne pas sombrer.

Toute la nuit, j'ai repensé à ce voyage ; j'allais faire revivre à ma fille un deuxième abandon que je ne m'expliquais pas. La vie nous confrontait toutes les deux à une expérience douloureuse dont je ne comprendrais le sens que beaucoup plus tard. Je m'accrochais de toutes mes forces à l'idée du retour, je l'avais programmé et il me tenait la tête hors de l'eau.

L'ambassade a approuvé ma décision. L'attaché du Consul a fait une copie de tout mon dossier et, au moment où j'allais le quitter, il m'a dit :

- Physiquement et moralement, vous avez besoin de repos. Lorsque vous reviendrez, vous serez plus forte. Le Népal est un pays difficile, la prochaine fois vous le comprendrez mieux.

Sur le chemin du retour, je me suis mise à parler toute seule ; j'étais en colère avec ce pays et ce gouvernement, personne n'avait voulu entendre notre souffrance.

Sharad est arrivé lundi après-midi, il ne repartirait que le lendemain, la veille de mon départ. La séparation d'avec ma fille devait être la moins brutale possible. Il a été très déçu que Nishu ne puisse pas aller en France parce qu'il envisageait de partir en Inde au mois de juin. Avec Krishna, nous avons essayé de lui expliquer qu'il était préférable de remettre son voyage à la fin de l'année, après mon retour. Nishu ne pourrait pas supporter une troisième séparation. Il nous a fallu près de deux heures de discussion pour le ramener à la raison, même le personnel de l'hôtel s'était joint à nous pour tenter de le convaincre.

Me sentant inquiète, Krishna voulu me rassurer.

- Patricia, Laxmi veillera sur Nishu jusqu'à ce que tu reviennes, elle ne sera plus seule.

Les dernières heures que j'ai passées avec ma fille, je les ai volées au temps. J'essayais de ne pas laisser paraître ma tristesse mais, chaque fois que je la serrais contre moi, les émotions me submergeaient.

« Je nous abandonne. » Cette phrase résonnait dans mon corps et faisait remonter une souffrance que j'avais soigneusement étouffée durant toute une partie de ma vie, sans jamais avoir voulu l'entendre. Une blessure se rouvrait ; en fait, elle n'avait jamais vraiment guéri. Après réflexion, je me suis dit qu'au moins, maintenant, je pouvais imaginer l'intensité de la douleur que Nishu avait pu vivre lors du départ de sa mère.

Quand est venu le moment de la séparation, nous nous sommes tous réunis dans l'entrée de l'hôtel de Krishna. Ma fille n'était déjà plus avec moi, ses pensées étaient lointaines. Je l'ai prise dans mes bras et nous nous sommes éloignées de tout ce monde.

- Je t'aime très fort et je te promets que je reviendrai te chercher. Chaque fois que ton petit cœur aura besoin de moi, appelle maman comme tu sais le faire, je t'entendrai.

Elle a suivi son père et ne s'est pas retournée. J'aurai voulu hurler parce que ça faisait trop mal, mais aucun son n'est sorti de ma bouche. J'ai avalé mes larmes et ma souffrance en me demandant comment nous allions pouvoir survivre jusqu'au mois de novembre.

Je suis rentrée à mon hôtel, j'avais besoin d'être seule. J'ai préparé mes valises en ne pensant qu'à quitter au plus vite ce pays pour aller vers autre chose et comprendre pourquoi je rentrais sans ma fille.

Pour cette dernière soirée, j'avais invité Krishna à dîner avec sa femme et ses deux enfants. Nous avons discuté principalement de la procédure d'adoption. Le gouvernement communiste bloquait de nombreux dossiers. Leur but était de faire la chasse à la corruption. Dans le pays, il commençait à y avoir des grèves pour dénoncer les agissements de ce gouvernement qui n'apparaissait pas vraiment plus honnête que celui qui l'avait précédé. Krishna se rendrait dès la mi-septembre au ministère de l'Intérieur et il me tiendrait régulièrement informé des événements.

Nishu

Le voyage du retour fut terriblement long, je n'en voyais plus la fin. Je suis restée près de vingt-quatre heures sans parler ; si j'ouvrais la bouche, je savais que j'allais pleurer et que rien ni personne ne pourrait m'aider. Le lendemain de mon arrivée, j'ai repris mon travail. Je me suis noyée à corps perdu dans mes dossiers pour ne pas penser à ce qui m'arrachait le cœur. J'ai travaillé, dormi et mangé durant des semaines sans qu'aucune émotion n'ait pu s'exprimer. J'étais dans l'incapacité de méditer et, chaque fois que j'essayais de me recentrer assise ou bien allongée, je me relevais au bout de quelques minutes et je passais à autre chose.

Un jour, j'ai réalisé que nous étions début juin. J'avais franchi le cap du premier mois et, tout doucement, je reprenais confiance en moi. Tous les soirs, je m'endormais avec Nishu et, à mon réveil, ma première pensée était pour elle. Chaque semaine, je lui ai envoyé une petite carte représentant un animal, j'y ajoutais aussi trois ballons à gonfler ainsi que de la gomme à mâcher à partager avec son frère et sa sœur. Ce lien instauré avec Nishu faisait partie de ma survie et chaque journée passée me rapprochait un peu plus d'elle.

Vers la mi-juin, je me suis sentie prête à constituer l'album photos de ce voyage. Là, il y a eu un déclic : les images sont revenues et j'ai revu de nombreuses scènes que j'avais vécues au village et à Katmandu. C'est à partir de ce moment que j'ai pu reprendre les méditations. Je pouvais replonger dans l'univers du Népal et tenter de trouver des réponses à mes interrogations les plus profondes.

La question que je me suis posée durant plusieurs jours concernait Laxmi. Qui était-elle ?

La réponse qui venait à moi était encore difficile à accepter puisqu'elle me renvoyait en permanence à ce frère que j'avais perdu. Dans un premier temps, j'ai décidé de ne pas m'emballer et de prendre un peu de recul. En 1994, j'avais déjà supposé que Tej pouvait être le prolongement de cette pensée. Aujourd'hui, je comprenais qu'il avait mis en place un pont entre ma vie et le Népal pour m'amener à Laxmi. Au fil des jours, cette réponse m'est apparue évidente et claire. Elle donnait un sens à l'émotion que j'avais ressentie lors de ma première rencontre avec Laxmi, ainsi que le rôle qu'elle avait eu dans l'adoption de Nishu. Après avoir accepté cette explication, j'ai ressenti un grand calme s'installer en moi. Laxmi, tout comme ma fille, était tout le temps présente dans mes pensées. Elles ne me quittaient pas. En méditation, je me suis vue de dos portant mon enfant dans mes bras face à un magnifique soleil. Je n'avais plus aucun doute, je ramènerais Nishu avec moi au prochain voyage.

Après avoir répondu à ma première question, je me suis penchée sur le cas de Ram.

Lorsque je repensais à son comportement tyrannique et à mes réactions face à lui, j'avais l'impression que l'on avait joué la scène d'un film. J'avais tellement eu peur de ne pas pouvoir entreprendre seule les démarches de l'adoption que je m'étais sentie obligée de tout accepter de lui, jusqu'à l'humiliation. Et c'est un rêve qui est venu éclairer cette relation.

J'étais une femme indienne avec de longs cheveux noirs et vêtue d'une tunique en peau. En haut de ma joue gauche, j'avais un tatouage formé de petits points représentant un rectangle. À mes côtés, il y avait une petite fille avec un nez aplati et une peau mate comme moi. Sur sa joue gauche, elle avait aussi le même tatouage. Un homme blanc pointait sur nous un long fusil, il voulait nous tuer alors que nous tentions de nous échapper.

Lorsque je me suis réveillée, j'ai compris que cet homme était Ram. J'avais la réponse sur notre relation, elle appartenait au passé. Le pouvoir qu'il avait exercé sur moi et cette peur que j'avais ressentie pendant les trois premières semaines trouvaient aujourd'hui leur explication.

Nous étions le 20 juillet, je me rapprochais de ma fille par le temps qui passait et aussi par la compréhension de ce voyage. Je l'avais vécu comme le parcours du combattant alors qu'il s'avérait être un véritable trésor d'enseignement. Le plus difficile a été d'accepter la séparation. Au début, je la trouvais profondément injuste et je me suis acharnée contre le gouvernement népalais. Il m'a bien fallu trois mois pour lâcher prise et, lorsque ce fut fait, j'ai pu vivre plus sereinement ce que j'avais considéré trois mois plus tôt comme impossible. Sharad m'écrivait régulièrement par l'intermédiaire d'un ami pour me donner des nouvelles de Nishu. Elle allait bien et parlait souvent de sa maman. Ses lettres me tranquillisaient, j'avais tellement peur qu'elle m'oublie.

Depuis quelques jours, je ressentais une forte douleur au niveau du cœur, ce qui m'obligeait à poser souvent la main en haut de ma poitrine pour l'apaiser. Une semaine plus tard, je remarquais que cette pression était toujours présente. J'ai questionné des proches espérant trouver une explication. Ce fut sans résultat, c'était donc à moi à en trouver l'origine.

Depuis quelque temps, je méditais moins, j'occupais mes soirées à la lecture et à des sorties entre amis. J'ai donc décidé de reprendre au plus vite mes rendez-vous nocturnes. La réponse fut claire et sans aucun doute possible : ma fille avait besoin d'aide. Lorsque dans la séance de méditation elle est venue à moi, il y a eu dans mon corps une grande émotion. Nishu n'allait pas bien du tout et semblait perdue. Je lui ai longuement parlé pour la rassurer, tout en lui apportant beaucoup de lumière. Au début de la séance, sa tête était baissée ; elle s'est doucement relevée et, puis, elle s'est détendue, je la ressentais plus calme et apaisée. J'ai renouvelé cette expérience plusieurs jours de suite. La pression que j'avais au cœur s'est allégée et est disparue au bout de quelques méditations. Nishu allait mieux.

En quittant ma fille, je lui avais demandé de m'appeler avec son cœur si elle avait besoin de moi et je n'avais même pas été capable de l'entendre. Désormais, elle ne me quitterait plus une seconde. Cette séparation étant aussi difficile pour elle que pour moi, je porterais Nishu jusqu'à ce que l'on se retrouve.

Vers la mi-août, j'ai eu de nouveau des douleurs au cœur mais, cette fois, je n'ai pas attendu pour méditer. Nishu était une nouvelle fois déstabilisée. J'ai eu du mal à l'aider, elle était peu accessible et renfermée sur elle-même. À chaque séance, j'étais fatiguée mais le résultat ne s'est pas fait attendre. Quelques jours plus tard, elle allait mieux et ma douleur au cœur s'est estompée. Dans trois mois, je serais près de ma fille et, peut-être, me donnera-t-elle l'explication de ces appels.

À la fin du mois d'août, j'ai fait ma réservation pour mon retour au Népal le 25 novembre. J'attendais avec impatience un message de Krishna et ce n'est qu'à la fin septembre que je l'ai reçu. Le gouvernement en place était toujours le même et il refusait l'adoption de Nishu parce qu'elle ne venait pas d'un orphelinat. L'effet de ce message a été immédiat, j'étais au plus mal. Un ami m'a fait remarquer que j'avais déjà eu le même scénario lors de mon premier voyage, quelques jours avant mon départ. Je l'avais complètement oublié. J'ai décidé de ne contacter Krishna qu'après avoir retrouvé la confiance en moi.

Lorsque tout fut en ordre dans ma pensée, je l'ai appelé.

La rencontre

- Namaste, Krishna.

- Namaste, Patricia, comment vas-tu ?

- Ça va, je te remercie. Alors dis-moi, où en es-tu ?

- Je n'ai pas encore pu enregistrer le dossier au ministère parce que tout est bloqué. De nouvelles élections doivent avoir lieu mais personne ne sait encore quand. En revanche, il y a très peu de chance que ce gouvernement soit réélu.

- C'est bien pour nous ?

- Oh oui ! Pour nous et pour le Népal.

- Est-ce qu'il va falloir attendre encore longtemps ?

- Non, je ne crois pas, c'est une question de quelques jours. Rappelle-moi la semaine prochaine, j'en saurai peut-être plus.

- D'accord, bonne journée et à bientôt.

Novembre est arrivé et il n'y avait toujours pas eu de changement politique au Népal. Sachant que tout pouvait basculer en un jour, je ne m'inquiétais pas.

Quelques jours avant le grand retour, j'ai reçu un autre message par télécopieur de Krishna. Il venait de retrouver des amis d'enfance, Sonam et Indira qui étaient aussi frère et sœur. Ils ne s'étaient pas revus depuis dix ans. Lors de leurs retrouvailles, Krishna a appris qu'Indira travaillait avec Pramada, une femme très connue au Népal pour son activité politique et sociale. Elle est aussi très respectée par l'ensemble de la classe politique. Les trois amis avaient déjà organisé mon arrivée : Indira m'accompagnerait au ministère de l'Intérieur et, chaque fois que ce serait nécessaire, Pramada interviendrait. Je ne minimisais aucunement cette rencontre de Krishna avec Indira et Sonam, à moins de dix jours de mon retour. Encore un signe du ciel !

Je n'avais qu'un seul objectif en tête : finir mon adoption en trois semaines et passer les fêtes de Noël en famille avec Nishu. C'est dans cet état d'esprit que je suis partie rejoindre ma fille. J'avais averti mon entourage que je serais absente très peu de temps, considérant ce deuxième voyage comme une simple formalité administrative.

Chapitre 3

Le passage

Le 26 novembre à sept heures du matin, je franchissais les portes de l'aéroport de Katmandu. C'est avec beaucoup de joie que j'ai retrouvé Tej et Krishna. Ils m'ont offert une écharpe blanche, signe de bienvenue au Népal, nous nous sommes salués du traditionnel Namaste et nous avons entamé la conversation.

- As-tu fais un bon voyage Patricia, me demanda Krishna ?

- Oui, ça s'est bien passé. Je suis très impatiente de retrouver ma fille. Dis-moi quand est-ce que je vais la voir ?

- Elle arrivera avec son père en début d'après-midi. Tu vas avoir une première journée chargée ; je t'ai organisé un rendez-vous avec Sonam vers seize heures.

- C'est bien, je suis prête à commencer les démarches et j'espère que cette fois, nous obtiendrons le jugement pour l'adoption.

- Ne t'inquiète pas, nous réussirons.

Tej très discrètement était resté derrière nous, ne voulant peut-être pas nous déranger dans notre discussion.

Je l'ai invité à se joindre à nous.

- Tej, raconte-moi les nouvelles du village.

- Mon grand-père est mort la semaine dernière et tout le monde est triste à la maison. Ma mère t'embrasse et elle m'a dit aussi que tu ramènerais Nishu avec toi en France.

- Je suis désolée pour toute ta famille de ce deuil, embrasse les pour moi et dis-leur que je les appellerai bientôt.

Nous avons regagné le centre de Thamel en taxi et mes amis m'ont déposée à mon hôtel, le même où j'étais déjà descendue lors de mon premier voyage. Mais cette fois, j'ai choisi une chambre plus grande avec une bonne exposition pour qu'elle soit baignée par le soleil du matin au soir.

Après avoir rangé mes valises et pris une douche, je suis allée faire quelques courses pour préparer l'arrivée de ma fille. En peu de temps, j'ai transformé ma chambre un peu triste en un lieu plus convivial. Je regardais ma montre toutes les cinq minutes, il me tardait de serrer Nishu dans mes bras. Je me suis souvenue que très souvent Sharad arrivait aux alentours des treize heures lorsqu'il montait à Katmandu. J'ai vite déjeuné et, ne tenant plus en place, j'ai attrapé mon sac à dos pour rejoindre Krishna.

Il était avec ses amis, en train de lire le journal de Katmandu. Très excité, il me dit :

- Regarde, ils annoncent enfin les élections ! D'ici quelques jours, le gouvernement communiste ne sera plus en place.

- Cela veut dire que tout devient possible ?

- Oui.

- J'espère que nous aurons plus de chance avec le nouveau gouvernement, lui répondis-je pensive.

De temps en temps, je sortais dans la rue espérant voir apparaître ma fille. En milieu d'après-midi, un taxi s'est arrêté devant l'entrée de l'hôtel. Une petite fille en est descendue, suivi d'un homme. Lorsqu'elle s'est retrouvée face à moi les yeux grands ouverts, presque trop, elle m'a longuement observée tout en demeurant figée, le regard perdu. C'était bien ma fille ! Je suis allée vers elle en lui ouvrant mes bras, elle a hésité puis est venue m'embrasser. J'étais très émue, ce moment je l'avais tant attendu ; j'avais du mal à exprimer ma joie ne voulant pas l'apeurer. Nous nous sommes tous assis dans l'entrée de l'hôtel et, sans attendre, Nishu est allée demander à son père si je lui avais apporté des oranges. Je les avais complètement oubliées ! La voix que je venais d'entendre, je ne la reconnaissais pas, elle était dure et grave. Une voix dérangeante reflétant une profonde souffrance.

Nishu cherchait à entamer un dialogue avec moi.

- Krishna, peux-tu lui proposer que nous allions en acheter toutes les deux ?

- Bien sûr.

Il s'adressa à Sharad et c'est Nishu qui a répondu à la question, elle était d'accord. Je l'ai prise dans mes bras et nous avons quitté l'hôtel.

Son visage s'était durci et son regard semblait vide, elle était redevenue un petit animal sauvage. Tout en marchant, je lui parlais et lui caressais ses cheveux. Entre elle et moi, il y avait un écran, une distance qui me déstabilisait, les sept mois de séparation avaient laissé des traces. Elle n'était plus la petite fille que j'avais quittée et je ne m'étais pas préparée à cette éventualité.

Le passage

Nous n'avons pas pu trouver des oranges, les vendeurs de fruits n'apparaissaient qu'en fin d'après- midi, il était encore trop tôt. Nous sommes entrées dans un petit supermarché pour y acheter des bonbons et de la gomme à mâcher. Nishu s'est précipitée vers des taille-crayons représentant des petites voitures. Elle en a pris un dans sa main et me l'a tendu pour me le montrer. Au moment de payer, elle a arraché le sac contenant nos achats des mains de la caissière. De retour à l'hôtel, Nishu a couru vers son père et s'est mise à pousser des cris avec une voix à faire frémir. Krishna observait la scène sans aucun commentaire. Tout comme moi, il n'en revenait pas du changement de Nishu. Sharad nous a raconté que lorsqu'ils avaient quitté le village ce matin, Nishu avait dit à tout le monde qu'elle allait voir sa maman et qu'elle ne les reverrait plus jamais parce qu'elle partirait très loin.

Sonam, l'ami de Krishna, est arrivé au moment où nous prenions le thé. Nous nous sommes présentés, je l'ai tout de suite beaucoup apprécié.

- Demain matin, tu rencontreras ma sœur Indira, elle a de nombreux contacts dans le monde politique et je suis sûre qu'elle pourra t'aider. Je ne peux pas rester plus longtemps, j'ai un rendez-vous et je dois me rendre à Patan. S'il y a un problème, Krishna m'appellera.

- Merci Sonam et à bientôt. Namaste.

- Namaste, Patricia.

Avant que Sharad ne redescende au village, je lui ai demandé de nous accompagner à mon hôtel pour que Nishu ne soit pas trop perturbée par tous ces changements. Elle a tout de suite reconnu les lieux et s'est même arrêtée devant notre ancienne chambre en la montrant à son père. Nous avons de nouveau bu le thé et Sharad est parti prendre l'autobus de nuit.

Pour distraire un peu Nishu, j'ai sorti quelques jouets d'un grand sac. Le petit ours qu'elle aimait tant, son lapin et un bébé que l'on a baptisé babou, un surnom que les Népalais donnent aux petits garçons. Ma fille avait tellement changé ! Je n'avais plus aucun repères ; je me sentais désemparée ne sachant pas comment l'approcher.

Après le repas du soir, nous avons pris une douche bien chaude et nous nous sommes couchées serrées l'une contre l'autre pour nous réchauffer. Nishu est restée accrochée à moi toute la nuit, je me suis endormie en me demandant comment j'allais pouvoir faire face à la petite fille qu'elle était devenue.

Lorsque le téléphone nous a réveillées, il devait être neuf heures. C'était Krishna.

- Namaste, Patricia.

- Namaste, Krishna.

- Je passe à ton hôtel à onze heures et nous irons chercher Indira, nous avons rendez-vous chez un ancien premier ministre.

- D'accord, à tout à l'heure.

Une femme de chambre est venue nous apporter le petit-déjeuner que j'avais commandé. Avec beaucoup de curiosité, Nishu s'est approchée du plateau pour voir ce qu'il contenait et elle ne s'est pas faite prier pour se mettre à table.

Krishna est passé nous prendre et, après vingt minutes de trajet en direction du nord de la ville, le taxi s'est arrêté sur une petite place. Une jeune femme vêtue d'un sari rose s'est approchée de la voiture, Krishna est sorti pour lui ouvrir la portière. Indira s'est assise à mes côtés et s'est présentée. Ne parlant pas très bien l'anglais, c'est Krishna qui assurait la traduction.

- Indira veut aider Nishu et elle s'engage à nous accompagner jusqu'au bout de l'adoption.

J'avais bien compris le message, l'aide ne m'était pas destinée, elle était pour ma fille. Indira a parlé un moment avec Nishu en népalais. Pendant ces sept mois de séparation, elle avait fait de gros progrès de langage et s'exprimait mieux.

Nous avons quitté les ruelles de terre pour de petits chemins goudronnés. Il y avait dans ce quartier de très belles maisons et la demeure devant laquelle le taxi s'est arrêté m'a laissée supposer l'importance de la personne que nous allions rencontrer. Pramada avait organisé le rendez-vous.

Un homme nous attendait devant le portail et nous a invités à le suivre. À l'entrée de la maison, nous nous sommes déchaussés. Ensuite, il a ouvert la porte qui donnait sur un immense salon, de grands tapis népalais jalonnaient le sol, la pièce était peu meublée mais elle était décorée avec beaucoup de goût.

Au fond du salon, un homme téléphonait. Quand il eut raccroché, il nous a salués et nous a fait signe de nous asseoir.

- Je connais votre histoire. Depuis ce matin, j'essaie de contacter un ami au ministère de l'Intérieur. Les élections se préparent et tout le monde est très occupé, je n'ai pas pu le joindre. Je vais vous aider et intervenir auprès du ministère pour l'enregistrement de votre dossier. Ne soyez pas inquiète.

De nouveau, il nous a salués, l'entretien était terminé. Nous l'avons remercié et nous sommes partis.

Dans la voiture, Krishna et Indira ont conversé tous les deux.

- Nous retrouverons Indira demain à onze heures devant l'entrée du ministère de l'Intérieur, es-tu d'accord Patricia ?

- Pour moi, il n'y a aucun problème.

Après avoir déposé Indira à son bureau, situé à proximité de l'ambassade de France, j'ai proposé à Krishna de déjeuner avec nous.

- Je te laisse le choix du restaurant, lui dis-je.

Il nous a emmenés manger de délicieuses pizzas ; Nishu, pour qui c'était une découverte, s'est régalée. J'étais surprise par la propreté des lieux et la convivialité. Je retenais l'adresse qui n'était qu'à cinq minutes de mon hôtel. À la fin du repas, voyant Nishu bailler, nous sommes rentrées à l'hôtel pour qu'elle puisse faire la sieste. Je l'ai regardée un long moment : elle tenait dans ses bras son petit ours et son babou. Je me suis allongée à côté d'elle et je me suis endormie, c'est le froid qui nous a réveillées. Au moment du goûter, Nishu s'est littéralement jetée sur les biscuits et le chocolat, tellement elle aimait ça.

Elle répétait déjà des petits mots en français alors que nous n'avions vécu que deux journées ensemble. Sa voix était toujours aussi dure et elle manquait de coordination dans ses mouvements, mais il y avait une telle volonté en elle. J'avais retrouvé ma fille physiquement, mais la mère et l'enfant ne s'étaient pas encore reliées. Nishu se protégeait et je ne pouvais pas l'approcher plus. Lorsque je voulais lui faire des câlins, elle s'échappait et allait chercher un jouet. Il y avait entre nous deux beaucoup de distance, nous ne pouvions pas nous dévoiler l'une à l'autre en un jour. J'espérais que le temps nous aiderait à construire notre relation.

Pour notre deuxième soirée, j'ai lu à Nishu une petite histoire, elle aimait toujours autant les livres. Son petit doigt suivait le mien au fil de la lecture et, lorsque je riais, elle m'observait silencieusement. Ce qui l'intéressait, c'était le contenu du livre.

Nishu

Dans les bureaux du ministère, l'ambiance était décontractée, les fonctionnaires buvaient du thé et lisaient le journal, les élections se préparaient. Nous avons attendu dans le couloir un grand moment ; Indira allait d'un bureau à l'autre sans succès, personne ne voulant enregistrer mon dossier.

En quittant les lieux en milieu d'après-midi, Indira m'a fait part de ses intentions.

- Il est préférable d'attendre la fin des élections pour faire intervenir Pramada.

- Est-ce que l'ex-ministre que nous avons rencontré hier a pu joindre son ami ?

- Je ne sais pas.

Deux jours après mon arrivée, j'étais déjà confrontée au test de la patience. J'ai décidé de profiter de ce temps libre pour aller à l'ambassade.

Il y avait eu du changement durant ces sept mois. Je fus reçue par la nouvelle attachée du Consul, Mme Pioli. Elle a rapidement consulté mon dossier et m'a fait un résumé de la situation des adoptions au Népal.

- Depuis l'été, les adoptions sont freinées. L'ambassadeur de France est intervenu auprès du premier ministre népalais pour que les dossiers en attente soient débloqués, mais rien ne bouge.

- Comment se déroule la procédure d'adoption sur Katmandu ?

- Pour que vous puissiez obtenir le jugement définitif du ministère de l'Intérieur, vous devez obtenir cinq signatures. Le premier bureau examinera votre dossier et, après avoir donné son accord, il le transmettra au deuxième bureau et, ainsi de suite, jusqu'à ce qu'il arrive entre les mains du secrétaire général pour recevoir la dernière signature. Le plus important est de faire enregistrer votre dossier au ministère de l'Intérieur et vous reviendrez me voir à la troisième signature.

Nous avons passé la fin de la semaine en grande partie à l'hôtel. Nishu dormait beaucoup, ce qui nous obligeait à ne pas quitter la chambre. Pour ne rien arranger, il pleuvait tous les jours et il faisait froid. Le thermomètre sur la table de nuit a affiché trois degrés plusieurs matins de suite. J'étais descendue dans un hôtel modeste et il n'y avait pas de chauffage dans les chambres. Il m'a fallu une semaine pour m'habituer à l'hiver de Katmandu, Nishu semblait mieux le supporter que moi.

Le comportement de ma fille commençait à se modifier, je notais maintenant un rejet de sa langue maternelle. Lorsque dans un magasin on lui parlait en népalais, elle tournait la tête et venait vers moi. Nishu se révélait une petite fille déterminée qui désirait changer de vie. Notre séparation l'avait profondément marquée, dès que je me levais d'un siège, elle bondissait du sien et, en une seconde, était à mes côtés. Elle ne me quittait pas des yeux et s'accrochait à ma présence comme à une bouée de sauvetage.

Indira était retournée au ministère de l'Intérieur et, j'ai appris par Krishna, que le fonctionnaire du premier bureau avait refusé une nouvelle fois d'enregistrer mon dossier. Les élections avaient pourtant eu lieu, les communistes n'étaient plus au pouvoir. C'était le parti démocrate qui était maintenant majoritaire au gouvernement. Malgré ce changement, je n'avançais pas mieux dans ma procédure. Indira avait organisé un rendez-vous avec Pramada, je ne l'avais pas encore rencontrée et j'attendais beaucoup de cet entretien.

Les locaux étaient installés dans une petite maison au milieu d'un magnifique parc. Lorsque Pramada est apparue dans l'encadrement de la porte pour nous inviter à entrer dans son bureau, Krishna fut visiblement très impressionné. Elle a discuté un moment avec lui, puis m'a demandé :

- Que puis-je faire pour vous ?

- J'ai besoin de votre aide et de toute votre influence pour que mon dossier soit enregistré au ministère de l'Intérieur. Sans attendre, elle a pris son téléphone pour contacter le ministère. Ce fut sans succès, tous les postes étaient occupés. Elle observait beaucoup Nishu qui s'était pendue à mon cou pour m'embrasser.

Toutes les autres tentatives pour joindre le ministère furent vaines.

- Les nouveaux fonctionnaires ne sont pas encore tous en place et tout le monde est débordé de travail. Ne soyez pas inquiète, je m'occupe de vous personnellement. Indira vous tiendra au courant.

Nishu

Les quatre semaines qui ont suivi m'ont fait glisser lentement dans un état de déprime. Nous avons passé toutes nos journées à attendre dans la chambre, nous devions être disponibles à tout moment. Lorsque nous allions faire des courses ou manger, je passais voir Krishna pour l'avertir de notre absence. Pendant les siestes de Nishu, je restais des heures à regarder la pluie qui tombait nuit et jour depuis des semaines. Katmandu se lavait et se purifiait, les rues étaient désertes et je cherchais désespérément des signes de vie.

Chaque journée me vidant un peu plus de mes réserves, ma force intérieure s'affaiblissait. Je ne savais même plus si je devenais mère et je m'en voulais de ne pas vivre plus intensément ces moments avec ma fille. De temps en temps, Nishu venait me sortir de ce monde dans lequel j'errais en se blottissant contre moi. Le soir, au moment du coucher, elle prenait son livre préféré pour que je lui lise son histoire et nous nous endormions ensemble pour oublier la grisaille de la vie.

Un matin, tout de suite après avoir tiré les rideaux de la fenêtre, le soleil a envahi la chambre. Je ne rêvais pas : le ciel était bel et bien bleu, sans nuage La pluie avait cessé. Nous avons passé la journée sur la terrasse de l'hôtel qui était juste au-dessus de notre chambre. C'est à ce moment-là que j'ai décidé de ne plus attendre : demain, nous partirions toutes les deux pour une destination encore inconnue.

Le lendemain, le soleil était toujours au rendez-vous. Nous avons déjeuné, pris une bonne douche chaude et nous avons quitté l'hôtel pour une journée de liberté. Je suis quand même passée voir Krishna pour lui signaler notre escapade, mais il n'était pas là. Je lui ai donc laissé le message sur un papier.

Nishu me donnait la main et chantait une chanson dont les paroles n'appartenaient qu'à elle. À la sortie de Thamel, nous avons pris un taxi pour nous rendre à Durbar Square, au sud-ouest de Katmandu, le choix de ce lieu s'étant imposé à moi dès mon réveil. J'avais rendez-vous avec les temples et ma petite voix me disait que cette rencontre était importante. Après avoir fait le tour de la place, je me suis engagée dans une ruelle. C'était étrange, j'avais l'impression de remonter le cours de la vie. Je me sentais si bien que je me suis laissée guider. Nous avons longuement marché dans de petites rues où plus aucun signe de civilisation occidentale n'était visible. J'étais projetée dans l'histoire et la tradition du Népal. Je retrouvais ici la vie et l'énergie dont j'avais besoin. Je pouvais maintenant mieux comprendre cet appel intérieur que j'avais entendu ce matin. Je marchais seule avec Nishu dans mes bras, quelque part au sud de Katmandu. Je fermais les yeux pour mieux sentir les odeurs de masala[7] et pour écouter le son de quelques cloches des temples hindous avoisinants. Lorsque je les ouvrais, je rencontrais la lumière que me renvoyait ma fille. L'énergie présente était puissante, j'avais besoin d'elle pour me relier à Nishu. Mes sens se sont réveillés et ma conscience s'est éclairée, enfin la mère retrouvait sa fille. Je m'étais endormie durant quatre semaines et, au milieu des mémoires du passé, je suis sortie d'un long sommeil. Une petite fille et sa maman souriaient à la vie.

Après cette merveilleuse journée, nous avons repris le chemin du retour et le taxi nous a déposées à l'entrée de Thamel, devant les bureaux de l'Immigration. C'est alors que j'ai aperçu Kedar, le réceptionniste de l'hôtel où travaillait Krishna. Il courait vers moi en me faisant de grands signes de la main.

Arrivé à ma hauteur et tout essoufflé, il m'annonça :

- Tout le monde te cherche depuis ce matin, il faut que tu ailles au plus vite au ministère de l'Intérieur. Indira a appelé plusieurs fois et elle a dit que c'était très important.

J'étais encore dans la promenade de la journée et je réalisais mal ce que je venais d'entendre.

- Kedar, reprends tout depuis le début et raconte-moi calmement ce qui s'est passé.

- Indira a téléphoné ce matin, quelques minutes après que tu aies laissé le message à Krishna. Depuis onze heures, nous t'attendons.

J'ai regardé ma montre, il était quinze heures trente. Les bureaux fermaient à seize heures, il était donc inutile que je me rende au ministère maintenant.

En arrivant à l'hôtel, Krishna était justement au téléphone avec Indira, elle nous donnait rendez-vous le lendemain matin à dix heures, à l'ouverture des bureaux. Personne n'aurait pu imaginer que les fonctionnaires allaient enfin m'accorder l'enregistrement de mon dossier cette journée-là.

---

7 Masala : mélange d'épices (coriandre, cumin, cannelle, piment, muscade, cardamome, clous de girofle)

Nishu

La journée qui a suivi a été surprenante. En dix minutes, j'ai obtenu l'enregistrement du dossier ainsi que la première signature. Dans la foulée, le dossier a été transmis au deuxième bureau qui a donné la seconde signature.

Indira m'avait demandé de l'attendre dans les couloirs ou bien à l'extérieur des locaux, le service des adoptions n'appréciant pas trop de voir les enfants dont les dossiers étaient en cours. En quittant le ministère en fin d'après-midi, je me suis excusée auprès d'elle pour ce qui s'était passé la veille.

- Ce n'est pas grave. Hier matin, Pramada a appelé chaque bureau, elle était en colère parce que ton dossier ne justifiait aucun blocage. Les fonctionnaires ont alors accepté de l'enregistrer sur-le-champ.

Miraculeusement, les quatre dernières semaines s'effaçaient de ma mémoire, je me demandais même si je les avais bien vécues. Du trou noir, j'étais passée à la lumière, une porte venait de s'ouvrir et j'étais pleine d'espoir.

Nous étions le 18 décembre, je passerais vraisemblablement Noël à Katmandu avec ma fille. Après cette journée un peu exceptionnelle, mon dossier n'a plus quitté le troisième bureau, il était de nouveau bloqué. Pour ne pas me laisser envahir par des pensées négatives, je me référais en permanence au début de mon séjour. Mon dossier n'avait pas bougé durant quatre semaines et tout avait basculé en un jour. Je devais rester confiante.

Nous allions très souvent dîner à la pizzeria, c'était un des rares lieux où je me sentais un peu chez moi. Je me suis liée d'amitié avec Anna, la propriétaire du restaurant. Elle était d'origine italienne et parlait très bien le français. Cet échange me faisait du bien, il est devenu un rendez-vous important pour mon équilibre. En me faisant connaître ce restaurant le lendemain de mon arrivée, Krishna m'avait permis de rencontrer Anna.

Ayant de nombreuses journées libres, je pouvais me consacrer entièrement à ma fille. Depuis notre escapade à Durbar Square, notre relation s'était transformée et nous étions beaucoup plus proches. Nishu s'exprimait de mieux en mieux en français, elle commençait même à perdre sa voix si dure. Elle était aussi devenue plus câline, tout en ayant encore beaucoup de retenue dans ses élans envers moi. Les moments les plus tendres étaient le soir, juste avant qu'elle ne ferme les yeux pour s'endormir. Elle blottissait sa tête dans mon cou et ne me lâchait pas de ses petites mains ; elle se laissait aller et prenait tout l'amour dont elle avait besoin. J'occupais mes soirées à la lecture ou bien je méditais. Quelquefois, je restais assise devant la fenêtre me noyant dans la nuit de Katmandu jusqu'à ce que toutes les lumières voisines soient éteintes. Vers vingt-deux heures, je me couchais et je faisais le bilan de ma journée ; ensuite, j'éteignais la lampe de chevet.

Noël est dans quatre jours. Nous avons rejoint Indira au ministère de l'Intérieur et, lorsque j'ai voulu m'asseoir dans la salle d'attente du troisième bureau avec Nishu sur mes genoux, le fonctionnaire m'a demandé de sortir. Notre présence le gênait. Au moment de quitter la pièce, un Européen est entré, il venait voir si son dossier d'adoption avait été signé. Pour toute réponse, ce même fonctionnaire lui a désigné une pile de documents, le sien n'avait pas bougé. Cet homme s'appelait Pep et il était Espagnol. C'est ensemble que nous avons regagné la sortie, il était désespéré. Son dossier était bloqué depuis trois semaines dans ce bureau et un autre couple Espagnol attendait le leur depuis deux mois, sans succès. Nous avons échangé nos coordonnées pour nous tenir au courant d'un éventuel changement dans la procédure.

Krishna, à qui j'avais fait part de ces dernières nouvelles, se sentait impuissant et ne savait pas comment faire face à ce nouveau problème.

- Krishna, il faut de nouveau contacter Pramada, seuls nous n'y arriverons pas, nous avons besoin d'aide.

- Viens dîner ce soir au restaurant New Orléans, me dit-il. J'y travaille jusqu'à minuit, nous trouverons bien un moment pour parler de tout ça.

- D'accord, à ce soir.

L'endroit était plutôt sympathique, chaque table était à proximité d'un brasero pour se réchauffer. Ce soir-là, elles étaient toutes occupées, j'ai partagé la mienne avec un Allemand. La conversation s'est facilement installée, il quittait Katmandu le lendemain pour aller méditer une semaine dans un monastère tibétain.

- Et vous, que faites-vous au Népal, me demanda-t-il ?

Je lui ai raconté mon histoire. Il a été très troublé par la succession des signes que j'avais eus sur mon chemin et aussi par la manière dont j'avais pu retrouver ma fille. Au moment de se quitter, il m'a souhaité bonne chance et il a ajouté :

- Ecrivez votre histoire. Vous n'avez pas le droit de la garder pour vous, vous devez la partager.

Cette phrase a résonné en moi, il venait de formuler quelque chose que je savais déjà. Je me suis souvenue que j'avais rencontré Bob à Sauraha dans les mêmes circonstances. Et en l'espace de deux repas, il m'avait permis de comprendre de nombreuses choses. Ce soir, un homme dont je ne connaissais même pas le nom venait à son tour de me guider.

Nishu dansait sur une musique de jazz, bougeant ses épaules dans le rythme comme si elle avait toujours connu ça. Son corps et son visage revivaient, elle souriait aux serveurs et chahutait avec Krishna. J'ai eu beaucoup de mal à la rentrer à l'hôtel, elle s'est opposée à moi pour la première fois. Krishna n'avait pas eu assez de temps pour me parler ce soir, il y avait eu trop de monde au restaurant. J'avais le sentiment que ma visite au New Orléans avait été organisée pour me faire rencontrer cet Allemand, il avait un message à me transmettre et je l'avais bien entendu.

Les journées passées au ministère de l'Intérieur se soldaient par des échecs successifs. J'avais fait la connaissance au ministère du couple Espagnol qui attendait depuis cinquante-deux jours le déblocage de leur dossier. Nous étions tous démoralisés et impuissants.

Le 24 décembre, je pensais à ma famille qui préparait le réveillon. Pour ne pas sombrer dans la nostalgie, j'ai puisé ma force dans l'amour de ma fille et dans le ciel bleu de Katmandu.

Nous avons été dîner à la pizzeria, Anna n'était pas là et j'ai supposé qu'elle passait cette soirée avec sa famille. Sajos, l'un des serveurs, est venu apporter à Nishu un cadeau de la part de Madame. C'est ainsi qu'il appelait Anna. Nishu a ouvert son paquet et a trouvé un petit ours blanc. Elle était béate devant son cadeau et l'a couvert de mille bisous. Pour cette soirée un peu exceptionnelle, j'ai sorti de ma valise un petit album de photos que j'avais constitué avant de partir pour le Népal. Nishu a fait la connaissance ce soir-là de sa famille et de sa maison qui attendaient son arrivée.

Le passage

Aujourd'hui, c'est Noël. Nous allons vivre cette journée comme une autre, nous avons rendez-vous avec Indira au ministère.

Assise sur une vieille banquette en face d'un bureau, j'ai pu observer longuement comment les fonctionnaires occupaient leurs journées. En fait, c'était très simple. Ils discutaient, buvaient le thé, lisaient le journal, prenaient encore le thé... et le temps passait.

- C'est inutile de s'énerver, me dit Pep d'un ton agacé. Lorsqu'un dossier est sur un bureau, il peut être oublié des mois sans que personne ne l'ouvre. Il est certain qu'une petite enveloppe aiderait le passage. Si nos dossiers sont bloqués, c'est parce que nous avons décidé de ne pas comprendre ce que l'on attend de nous.

Je savais qu'il avait raison.

Vers quinze heures, Indira est venue me chercher.

- Viens on part, c'est inutile de rester plus longtemps. Si tu veux, je t'invite à boire le thé chez moi. J'aimerais te présenter mes filles.

- Je serais très heureuse de les connaître.

Deux ravissantes petites têtes brunes sont venues nous accueillir. Ses filles étaient plus grandes que la moyenne des enfants Népalais du même âge. C'était le signe qu'elles ne souffraient pas de malnutrition. Elles poursuivaient leurs études à Darjeeling, en Inde, et elles étaient au Népal pour les vacances scolaires, environ trois semaines.

- Indira, pour quelle raison tes filles sont-elles scolarisées à Darjeeling ?

- Le niveau scolaire est bien meilleur qu'au Népal. Je travaille aussi beaucoup et je suis très occupée par mes réunions politiques, je ne peux pas leur accorder assez de temps. C'est un peu difficile parce qu'elles partent de la maison pour quatre mois et ne reviennent que pour quelques jours de vacances. Lorsqu'elles sont là, j'essaie de rentrer plus tôt à la maison et de profiter de leur présence. Elles ont la chance de pouvoir faire des études ; tu sais bien qu'en Inde et au Népal, les filles sont peu scolarisées. Depuis leur naissance, elles sont une catastrophe pour leur famille qui sera obligée d'économiser chaque jour un peu d'argent pour constituer la dote de leur mariage. En Inde, comme au Népal, les filles n'ont pas de place et pas d'avenir. Tout cela doit changer et je me bats chaque jour pour le droit des femmes.

Dans le taxi qui nous a ramenées à l'hôtel, j'ai regardé la vie autour de moi et je n'ai vu que la misère ; cette vision du monde me devenait insupportable. La détresse que je lisais dans les yeux des enfants ou de certains adultes était difficilement soutenable malgré leurs sourires. Je ne savais plus où j'étais ni qui j'étais, je devenais ce que je voyais. Nishu a dû sentir que je dérapais, car elle est venue s'installer sur mes genoux et je l'ai serrée contre moi.

À l'hôtel de nombreuses télécopies m'attendaient, j'avais complètement oublié que nous étions le jour de Noël. Lorsque Nishu fut endormie, j'ai médité pour recentrer ma pensée, ce fut long et difficile. L'image qui est venue à moi était celle de mon dossier. Il était fermé et inaccessible, je ne savais pas comment l'approcher. Et puis, j'ai entendu cette phrase :

- Souviens-toi que tu construis ton présent et ton futur par ta pensée de chaque instant. Les freins ne sont qu'une illusion. C'est un apprentissage difficile mais c'est celui que tu dois vivre dans ce voyage.

Je n'accompagnais pas assez mon dossier et je devais absolument trouver le sens de ce blocage.

Le lendemain de Noël, je me suis rendue avec Krishna au ministère, Indira avait une réunion et ne pouvait pas nous accompagner. Elle avait pu joindre ce matin même le secrétaire du troisième bureau, il s'était engagé à intervenir auprès de son adjoint.

Au ministère, nous nous sommes rendus directement au troisième bureau. L'adjoint n'était pas là et le secrétaire n'avait donc pas eu la possibilité de lui faire part de l'appel d'Indira. J'en avais assez de toujours avoir un barrage sur mon chemin. J'ai repensé à la méditation de la veille mais, dans ces moments d'exaspération, j'étais incapable d'avoir une pensée juste.

Nous avons passé trois heures à surveiller l'arrivée de l'adjoint, sans grand succès. Nous allions d'étage en étage et nous passions tous les bureaux en revue. De temps en temps, on sortait pour voir si nous apercevions sa voiture devant l'entrée pour ensuite recommencer notre ronde d'inspection. À quinze heures, nous sommes partis tous les deux déçus.

- En arrivant à l'hôtel, je téléphone à Indira, me dit Krishna.

Heureusement qu'il était là. Il se donnait tant de mal pour nous aider, j'étais étonnée de son dévouement.

En apprenant que nous n'avions pas pu rencontrer l'adjoint du troisième bureau, Indira s'est mise en colère. J'étais debout à côté de Krishna, accoudée au comptoir de la réception de l'hôtel et j'entendais sa voix. Le secrétaire n'avait pas fait ce qu'il lui avait promis. Comme plusieurs personnes, il avait dit oui au téléphone mais il n'avait pas donné suite. Finalement, elle a décidé de contacter quelqu'un d'autre pour la journée de dimanche.

- Demain, c'est samedi, me dit Krishna. Je vous invite à manger le dal bhat à la maison.

- C'est une excellente idée ! Je me réjouis à l'idée de revoir ta famille.

En fin de matinée, nous avons quitté l'hôtel et nous avons marché au rythme de Nishu en direction du sud de Katmandu. Je consultais régulièrement le plan que m'avait fait Krishna pour me rendre chez lui. Il m'avait signalé la rue des 'dentistes', que je n'ai eu aucun mal à reconnaître, puisque sur les portes et devantures, il y avait des dessins de mâchoires ou de dents assez effrayantes. J'espérais ne pas avoir de problème dentaire durant mon séjour. Au bout d'une heure de trajet, j'ai aperçu Tej sur une petite place devant un temple hindou. Il nous attendait, très impatient de nous montrer la chambre qu'il louait depuis quelques semaines, juste à côté de l'appartement de Krishna. Tej avait décidé de quitter son pensionnat suite à deux hospitalisations, la qualité de l'eau et la nourriture de son école étant à l'origine de ses problèmes de santé. Après avoir visité sa chambre, nous sommes allés manger le délicieux dal bhat végétarien, préparé par l'épouse de Krishna.

C'est ce soir-là que Nishu m'a fait part d'un fait troublant. À l'heure du coucher, nous chahutions sur le lit. Elle s'est adossée à l'oreiller et m'a montré son bas-ventre.

- Jyamire a fait mal à Nishu, me dit-elle.

Je l'ai regardée un peu surprise et elle m'a répété une deuxième fois.

- Jyamire a fait mal à Nishu.

- On t'a fait mal ici ? Je lui désignais à mon tour son bas-ventre.

- Oui, m'a-t-elle répondu.

- Qui t'a fait mal, Nishu ?

Je n'ai pas eu de réponse. Très fermement, elle a clôt le dialogue.

- Fini maman, je veux dormir.

J'ai immédiatement rejeté la première idée qui m'est venue à l'esprit : il était impossible que ma fille ait pu être victime d'un abus sexuel. J'ai essayé de chasser cette pensée en tentant de trouver mille autres raisons pour lesquelles Nishu ait pu me montrer son bas-ventre. Il n'y en a eu qu'une seule qui se soit imposée à moi : il s'était sûrement passé quelque chose, elle avait été trop précise. J'avais du mal à aller plus loin dans ma réflexion et je n'étais pas du tout à l'aise avec cette pensée. Qu'est-ce que je devais faire de cette confidence ? Je n'étais absolument pas préparée à vivre cette situation, pas maintenant. Je ne pouvais pas imaginer que quelqu'un ait pu lui faire du mal, pas à ma fille. La seule solution, c'était le médecin de l'ambassade, il n'y avait que lui qui puisse me confirmer dans l'immédiat ce que Nishu m'avait confié ce soir. Le seul problème serait d'attendre jusqu'à lundi, jour de réouverture de l'ambassade. La nuit fut extrêmement difficile, la certitude que ma fille avait vécu quelque chose de douloureux grandissait en moi.

Le dimanche 28 décembre

Nous avons décidé avec Krishna de rencontrer le fameux adjoint du troisième bureau. Au ministère, un fonctionnaire nous a appris que le dossier avait été monté à l'étage et nous devions demander les renseignements au premier bureau. J'étais très étonnée, on nous renvoyait à la case départ alors que nous aurions dû être orientés à l'étage comme le dossier. Krishna s'est absenté un long moment, je l'ai cherché dans les couloirs et, finalement, on s'est retrouvé dans les escaliers.

- Patricia, tu as reçu la troisième signature ! Mais il y a un nouveau problème. Le dossier est désormais entre les mains d'un homme qui n'est pas du tout favorable à ton adoption. Je ne connais pas encore les raisons de ce refus, il faut absolument contacter Indira pour qu'elle nous éclaire.

Nous avons quitté le ministère précipitamment et nous sommes rentrés à l'hôtel. Par chance, Indira était déjà chez elle. Krishna lui a fait part des dernières nouvelles et lui a demandé si elle connaissait le responsable du quatrième bureau. Lorsqu'il a eu raccroché, il m'a rapporté leur conversation.

- Indira ne connaît pas personnellement cet homme. Une chose est sûre, c'est qu'il n'appartient pas au parti du congrès, celui de Pramada. Dès mardi, elle contactera le ministère de l'Intérieur.

- Pourquoi pas demain ?

- Le 29 décembre est férié, c'est le jour de l'anniversaire du Roi.

- Décidément, il ne se passe pas deux semaines sans qu'il n'y ait un jour férié ! L'ambassade sera certainement fermée elle aussi.

En me retrouvant seule le soir, je me suis aperçue que ce qui me perturbait le plus en ce moment, c'était le dialogue que ma fille avait entamé. Je m'efforçais de ne pas y penser mais ce qu'elle m'avait dit s'entrechoquait dans mon esprit et ne laissait guère de place pour toute autre réflexion.

Le médecin de l'ambassade n'a pu nous recevoir que mardi matin, dès l'ouverture nous étions dans son cabinet. Il a longuement examiné Nishu. Le diagnostic a été clair : son hymen était partiellement déchiré. Selon lui, il n'y avait pas eu pénétration d'un sexe d'adulte. Nous devions attendre que Nishu puisse mieux s'exprimer, mais ce qu'elle avait vécu était certainement douloureux.

- Si votre fille a pu se confier, c'est parce qu'elle commence à se sentir sécurisée et protégée.

Je suis sortie de l'ambassade pensive. Nishu me parlait du docteur qui avait regardé son ventre et qui lui avait donné un bonbon. Je prenais conscience que la tristesse de son regard n'était pas seulement due au départ de sa mère. Et cette voix si dure avec laquelle je l'avais retrouvée révélait bien une grande souffrance. Nishu, où m'emmènes-tu ?

Nous avons passé le dernier jour de l'année en grande partie à attendre sur la terrasse de l'hôtel. Au moment de la sieste, nous nous sommes allongées chacune sur un transat[8]. Nishu dormait et

---

8 Transat : chaise longue en toile.

je me reposais à ses côtés, profitant de la chaleur du soleil qui, de jour en jour, devenait plus chaud. Je vivais avec ce pays et cette ville une véritable histoire d'amour, pourtant tous les deux ne me ménageaient guère. L'énergie de Katmandu m'enveloppait et m'emmenait très loin dans ses pensées. Comment t'approcher, belle et lumineuse Dame ? Dis-moi, quel est le chemin pour aller à la rencontre de ton âme ? Apprends-moi à mieux te connaître, à mieux te comprendre. Peut-être que si je découvre qui tu es, alors je saurai qui je suis. Je n'osais ouvrir les yeux pour vivre jusqu'au bout ce moment d'intimité avec Katmandu.

La nuit est tombée, nous marchons dans Thamel où des milliers de petites lumières rouges et vertes se sont allumées pour célébrer la nouvelle année. Ce quartier touristique vit au rythme de toutes les cultures. Ce soir, on célébrait notre Nouvel An occidental ; en mars, ce serait le Nouvel An tibétain, puis suivrait celui du Népal. Il y avait beaucoup de monde dans les rues. Les voitures ayant été interdites à la circulation, nous avons pu flâner sans avoir les fumées d'échappement dans le nez. Au fil de notre promenade nocturne, nous avons entendu toutes les musiques du monde se mêler les unes aux autres. Nishu dansait en marchant, nous étions entraînées et attirées par des rythmes et différentes vibrations. Cette soirée fut merveilleuse, c'était sans aucun doute mon plus beau Nouvel An.

Le jeudi 1ᵉʳ janvier 1998

Je ne connais pas encore le programme de la journée. Si Indira ne nous a pas encore contactées, c'est qu'il est inutile de nous rendre au ministère.

Après le déjeuner, nous sommes passées voir Krishna. Il avait travaillé au restaurant toute la nuit et dormait debout. Sonam s'est arrêté pour nous dire bonjour, il avait aperçu Nishu qui jouait devant l'entrée de l'hôtel.

- Aimerais-tu visiter la maison d'enfants dont je m'occupe, me proposa Sonam ?

- Maintenant ?

- Oui, j'ai un peu de temps libre aujourd'hui.

- C'est une excellente idée.

Nous sommes montées dans sa voiture et, dix minutes plus tard, nous arrivions devant une ravissante maison. Des enfants jouaient dans le jardin et, en quelques secondes comme par magie, ils se sont tous regroupés autour de nous. Sonam nous a présentées et ils nous ont guidés pour nous faire visiter leur lieu de vie.

J'étais surprise par l'harmonie qui régnait dans la maison. Les murs intérieurs avaient été peints dans de très belles couleurs pastel. Au rez-de-chaussée, deux grandes classes faisaient aussi office de réfectoire et, à l'étage, il y avait deux dortoirs, un pour les filles, l'autre pour les garçons. Au dernier étage, il y avait une terrasse, j'y ai même aperçu un lave-linge.

- Sonam, c'est une très belle maison et l'on s'y sent bien. D'où viennent les enfants ?

- Des montagnes qui environnent Katmandu. Avec un ami, nous allons régulièrement dans les écoles des villages situés à plus de deux mille mètres d'altitude. Là, nous rencontrons les instituteurs et nous sélectionnons les meilleurs d'entre eux. Ensuite, nous contactons leurs familles et nous leur proposons de prendre en charge la scolarité, l'hébergement, la nourriture et les vêtements de leurs enfants. Ils seront parrainés par des familles Japonaises jusqu'à l'âge de douze ans et, pour ceux qui le souhaitent, ils pourront même poursuivre leur scolarité dans un collège de Katmandu jusqu'à l'université.

- Es-tu aidé par le gouvernement ?

- Non, nous ne recevons aucune aide du Népal. Cette maison n'existe que par une chaîne de solidarité humaine. Tu sais, environ soixante-dix pour cent de la population népalaise est analphabète, il y a donc une urgence pour la scolarisation des enfants. Ces maisons dépendent essentiellement de l'aide financière Occidentale.

J'avais devant moi la preuve que ça pouvait fonctionner. Nous avons bu le thé tous ensemble au réfectoire. Sur un des murs, un grand panneau avait été fixé et l'on pouvait y voir les photos des familles qui parrainaient les enfants. Chacun avait la sienne et ils en étaient tous très fiers. Sans elles, ils ne seraient pas là. De voir autant de bonheur dans le regard de ces enfants me réconfortait.

- Ta maison est une belle réussite, lui dis-je.

- J'ai besoin de faire cette action, pour eux et aussi pour moi.

- On ne fait jamais tout pour les autres, il y a toujours une part qui nous est réservé. Peut-être est-ce essentiel pour que ça marche, lui ai-je répondu.

Nishu

Sonam nous a déposées à mon hôtel et je l'ai remercié de nous avoir fait passer une aussi bonne journée.

Nishu était fatiguée, nous nous sommes reposées un moment sur la terrasse. Des Australiennes sont venues nous rejoindre, elles faisaient parties d'un groupe bouddhiste et revenaient d'une semaine de méditation dans un monastère tibétain.

Nishu est très vite devenue le pôle d'attraction, elle riait et charmait son nouvel auditoire ; tout naturellement, elle avait créé un lien. Nous avons tout d'abord discuté de tout et de rien et, puis, nous avons abordé des sujets plus sérieux comme le Népal, le bouddhisme, ainsi que l'adoption de Nishu. Cet échange m'a fait beaucoup de bien, je passais la plupart du temps en réflexions intérieures et je manquais de communication.

Le soir venu, lorsque Nishu fut endormie, je me suis assise au pied du lit et j'ai fermé les yeux ; je pensais à ma fille. Nous vivions ensemble depuis un peu plus d'un mois et, déjà, elle remplissait ma vie, je ne pouvais plus l'imaginer sans elle. Nishu me montrait chaque jour comment aller vers les autres. Dans la rue, elle faisait des signes avec sa main aux mendiants et leur offrait son plus beau sourire. Le mot le plus fort pour qualifier Nishu est «exister». Elle n'est déjà plus la petite fille perdue que j'avais connue à Jyamire. Au village, elle n'intéressait personne et n'avait droit à aucune attention. Pour survivre, elle s'était refermée sur elle-même et chaque lever du soleil l'amenait à une nuit de plus en plus longue. Aujourd'hui, elle parle et elle rit, son visage s'adoucit ; elle renaît. Il y a bien cette ombre que son regard dévoile à certains moments mais j'espère que la vie nous aidera à panser les blessures du passé.

Vers deux heures du matin, j'ai été réveillée par une sensation de mouillé. J'ai allumé la lampe de chevet pour contrôler le lit, les draps étaient trempés. Dans la chambre, la température avoisinait zéro degré, on ne pouvait pas rester ainsi tout le reste de la nuit. J'ai réveillé Nishu pour la changer, elle était très ennuyée d'avoir fait pipi au lit.

- Ne t'inquiète pas, je vais tout arranger.

Lorsqu'elle m'a vu pousser le lit à l'autre bout de la chambre pour que je puisse l'approcher de l'unique prise de deux cent vingt volts, elle s'est mise à rire. Ensuite, j'ai branché mon sèche cheveux et, durant une bonne demi-heure, j'ai séché les draps et le matelas. Nous avons pu nous recoucher au sec et au chaud.

Le passage

Sharad est arrivé à l'heure du petit-déjeuner, nous passerions la journée ensemble. Il était accompagné d'un ami qui faisait office d'interprète ; très vite, cet homme m'a fait part du désir de Sharad. Il voulait que je descende au village avec Nishu pour quelques jours.

- Je suis désolée mais nous ne pouvons pas quitter Katmandu, nous devons être totalement disponible pour la procédure d'adoption.

Sharad a ensuite demandé à sa fille si elle désirait venir à Jyamire, Nishu n'était pas d'accord. J'ai utilisé toute mon énergie pour expliquer à son père que le plus important était qu'elle le voit lui et pas nécessairement tout Jyamire. Finalement, il a admis que j'avais raison. Je ne pouvais pas lui expliquer que Nishu ne comprendrait pas pourquoi je la ramènerais à ce village qui lui avait fait tant de mal.

Après le déjeuner, on s'est installé sur la terrasse. Nous parlions peu, Nishu faisait la sieste dans mes bras et je me serais bien assoupie avec elle. Pour briser le silence, j'ai demandé à Sharad la raison pour laquelle il avait voulu que Nishu soit adoptée.

La réponse fut longue, j'ai dû attendre patiemment d'avoir la traduction par l'interprète.

- Lorsque toute la famille vivait en Inde, Sharad a emmené Nishu voir un sage qui lisait dans les lignes de la main. À cette époque, elle devait avoir un an. Cet homme lui a dit que sa fille aurait beaucoup de chance dans sa vie et recevrait une bonne éducation. Juste avant ton retour au mois de novembre, Sharad a consulté une nouvelle fois un homme à proximité de Jyamire avec sa fille. Il lui a confirmé ce qu'on lui avait déjà dit en Inde et qu'elle quitterait le Népal avant la fin de l'année népalaise.

J'ai souri à l'idée que ma fille avait déjà rencontré deux sages pour connaître son futur alors qu'elle n'avait pas encore quatre ans.

Au réveil de Nishu, nous avons bu le thé et, après le goûter, elle s'est mise à dessiner. Elle a montré à son père tout ce qu'elle savait faire et, puis, elle lui a tendu une feuille de papier et un feutre pour qu'il lui dessine un soleil. Sharad a parlé à sa fille en népalais. Je n'ai pas eu besoin de traduction pour comprendre ce qu'il venait de lui dire, il ne savait pas faire le soleil. Nishu a pris la main de son père dans la sienne, comme je le faisais avec elle, mais elle n'y est pas arrivée. Alors, tout simplement, elle a continué à faire ses dessins seule. Elle lui parlait en français et Sharad en népalais, le cœur faisait le lien et cela suffisait. J'ai compris à cet instant que si Nishu était restée au village, elle serait devenue comme son père. Son chemin la menait plus loin, elle était déjà plus loin. Lorsqu'il s'est levé pour aller prendre son autobus, je l'ai expliqué à Nishu. Elle l'a embrassé et lui a dit :

- Bye, papa.

Il a été surpris de ce détachement.

Après son départ, j'ai senti Nishu très excitée, elle voilait une grande tristesse. Pour lui changer les idées, nous avons quitté l'hôtel et nous sommes allées marcher dans les rues animées de Thamel jusqu'à l'heure du dîner. Ce quartier de Katmandu attire beaucoup de monde et l'on y trouve une quantité de petites boutiques assez impressionnantes.

Les journées s'écoulaient et rien ne bougeait, toujours aucun signe d'Indira. Le matin du 5 janvier, je suis passée voir Krishna en espérant qu'il ait des nouvelles, mais il n'était pas là. J'ai senti brusquement que tout s'écroulait autour de moi, j'avais besoin d'aide. Je n'ai pas pu me confier à Kedar qui remplaçait Krishna à la réception de l'hôtel. En larmes, j'ai pris ma fille par la main et nous sommes parties faire des courses.

À notre retour, j'ai aperçu Krishna qui me guettait devant l'entrée de l'hôtel. Il était visiblement attristé de me voir dans cet état.

- Krishna, je sais que tu fais plus que ton possible pour m'aider, mais cette attente est trop dure. Je ne sais pas où je vais et ce que je peux espérer.

Il m'a écoutée les yeux baissés pour ne pas voir mes larmes.

- Je dois accompagner un groupe de touristes pour la journée. Je serai de retour vers dix-sept heures. Rejoins-moi ici ; nous appellerons Indira.

Je me suis réfugiée à mon hôtel avec Nishu. Le calme et le silence ménageaient ma fragilité nerveuse. Je ne voyais plus l'aboutissement de ce long chemin, j'étais dans un brouillard de pensées, totalement perdue. Nous avons bu le thé sur la terrasse en compagnie de deux Australiennes qui ont essayé désespérément de me remonter le moral.

Le passage

En fin d'après-midi, j'ai rejoint Krishna et j'ai eu la surprise de le trouver en compagnie de Sonam. Il y avait aussi un autre homme, Krishna me l'a présenté comme son neveu.

Ils n'avaient pas pu joindre Indira, elle n'était pas encore chez elle. Sonam avait pensé organiser une rencontre avec le leader démocrate du Sud du Népal, le même parti politique auquel appartenait le fonctionnaire qui bloquait mon dossier.

- Indira essaie de t'aider avec le parti du congrès et nous avec les démocrates. On va bien arriver à quelque chose !

Je ne savais pas si l'idée était bonne mais j'étais rassurée, je me laissais porter. Je vivais un vrai décapage intérieur, je n'avais plus la force d'y croire, tout juste celle d'être guidée.

Après plusieurs tentatives, Sonam a pu joindre le leader du parti démocrate. Un rendez-vous a été fixé le lendemain matin à neuf heures trente.

Nous avons été reçus par un homme très courtois. Il était à l'écoute de ce que nous lui expliquions et prenait des notes de temps à autre.

- J'ai besoin de connaître le numéro de votre dossier d'adoption ainsi que vos coordonnées. Je ne sais pas encore comment je vais pouvoir vous aider mais je vous tiendrai au courant de mes démarches.

Il ne s'était rien passé de particulier lors de cet entretien, mais j'avais semé une petite graine et cela suffirait à me tenir la tête hors de l'eau pour une journée.

Au retour, le taxi nous a déposées à l'agence de voyage. Tous les quinze jours, je reportais mon retour en espérant que ce serait la dernière fois. J'étais de nouveau très déstabilisée, ce mur devant moi me faisait peur.

Pour nous changer un peu les idées, nous nous sommes promenées aux alentours de Thamel ; Katmandu nous livrait à chacune de nos promenades de vrais trésors. En entrant dans une cour intérieure, nous avons découvert un magnifique temple hindou. Tout d'abord, j'ai pensé que ce lieu n'avait pas d'autres issues et, puis, j'ai aperçu une petite ruelle bien cachée qui nous a amenées à une ravissante fontaine. De nouveau, il m'a semblé que notre visite s'arrêtait là, et bien non. De cours en cours, de ruelles en ruelles, nous avons rejoint une rue principale. En regagnant Thamel, je me suis aperçue que notre marche de l'après-midi était la parfaite illustration de ce que je vivais, mais je n'avais pas encore trouvé la grande rue.

Le soir dans la chambre, Nishu a joué sur le lit avec ses petits bracelets indiens que nous avions achetés. Et puis, elle s'est mise à gesticuler un peu dans tous les sens comme si elle se battait avec quelqu'un ou quelque chose, je me suis approchée d'elle.

- Nishu, tu vas bien ?

Et elle m'a répondu :

- Nishu a mal.

- Où as-tu mal, tu peux me le dire ?

De nouveau, elle s'est tordue dans tous les sens et en regardant fixement le plafond de la chambre, elle m'a dit :

- Papa a fait mal à Nishu.

- Papa ?

- Oui, papa. Doucement maman, chut.

Elle s'est mise à murmurer de peur que quelqu'un ne l'entende. J'étais sans voix. Les yeux de ma fille ne quittaient pas le plafond, elle attendait que je lui parle tout en redoutant mon regard et mon jugement.

Je l'ai prise dans mes bras et, en la berçant, je lui ai parlé.

- J'ai bien compris ce que tu m'as dit, je te promets que plus jamais on ne te fera du mal. Que ce soit papa ou bien quelqu'un d'autre, je suis là pour te protéger.

Elle a mis son index sur ma bouche pour me rappeler de parler moins fort. C'était un secret, personne ne devait le savoir.

- Maman et Nishu vont prendre l'avion, me dit-elle.

Oh oui ! Il fallait désormais partir vite, je n'avais plus le droit de me lamenter sur mon sort, ni de baisser les bras. Je devais sauver ma fille. Nous avons bu un citron chaud sucré avec du miel et, comme tous les soirs, j'ai lu une histoire à Nishu. Elle s'est endormie dans mes bras.

J'ai tenté de reconstituer le puzzle de l'histoire de ma fille, tout devenait plus clair. Je comprenais mieux son refus à l'idée de retourner au village, le rejet de sa langue maternelle ainsi que cette volonté qu'elle avait de vouloir s'intégrer dans ma vie. En pensant à son père, j'en avais des nausées. Pourquoi lui avait-il fait vivre cela ?

Le téléphone a sonné et m'a sortie de mes pensées. C'était une amie qui m'appelait de France pour avoir des nouvelles de mon moral. J'ai pu lui parler de ce que Nishu m'avait révélé ce soir et son conseil est sorti du cœur.

- Il ne faut pas craquer maintenant, tu dois la sortir au plus vite.

Cette phrase a agi comme un détonateur. J'y avais moi-même pensé mais j'avais surtout besoin de l'entendre. Durant ces sept mois de séparation d'avec ma fille, j'avais eu très peur qu'on lui fasse du mal. À chaque fois, je m'étais rassurée en pensant que Nishu était avec son père et qu'il ne pouvait rien lui arriver. Je me suis dit aussi que, finalement, c'était une chance que nous n'ayions pas pu quitter le Népal trop rapidement. Si Nishu avait pu parler, c'était parce que nous étions toujours dans son pays. Et puis, je me suis souvenu des douleurs que j'avais eues à deux reprises, au mois de juillet et en août. Etaient-ce à ces moments-là que Nishu avait eu mal ? J'étais de plus en plus sûre qu'il y avait un lien.

Le lendemain matin, j'ai parlé à Krishna de ce que Nishu m'avait confié. Il a été assez choqué et a eu du mal à croire à son histoire.

- C'est une enfant et elle a pu tout imaginer, me dit-il.

- Krishna, en France nous savons que lorsqu'un enfant parle de ce sujet, c'est parce qu'il s'est passé quelque chose.

Je n'ai pas insisté, j'ai senti qu'il n'était pas prêt à en entendre davantage. Quant à Indira, elle s'est spontanément proposée de garder ma fille si l'adoption ne pouvait pas se terminer. Je l'ai remerciée mais je refusais en bloc cette éventualité. Il n'était pas question que j'abandonne ma fille.

Le samedi 10 janvier

J'avais complètement oublié que Sharad venait nous rendre visite avec Chandra et Dinesh. Comment allais-je pouvoir faire face à la situation ? En prenant ma douche, je me suis souhaitée beaucoup de courage.

Nishu

Finalement, la journée s'est bien passée. Je n'ai ressenti aucune colère face à Sharad, j'étais même surprise de mon comportement. Nishu a été très heureuse de revoir son frère et sa sœur, ils ont joué toute la journée ensemble avec une petite balle en plastique. Sharad était venu avec Sujata, sa nouvelle compagne, et son ami l'interprète. Je n'avais pas revu Chandra et Dinesh depuis presque un an. Leurs visages étaient plus détendus, la présence d'une femme auprès de leur père semblait avoir adouci leur vie. Nishu est allée plusieurs fois dans les bras de son père, elle lui souriait et recherchait son contact. Je ne percevais aucune peur visible dans le comportement de ma fille. Cependant, je me demandais si Chandra et Dinesh avaient vécu la même chose que leur petite sœur. Si j'avais dû me fier à leurs regards, alors il y aurait eu beaucoup à dire…

Lorsque l'heure de se quitter est arrivée, Nishu s'est approchée de moi et m'a pris la main, je l'ai serrée très fort pour la rassurer. Non, elle ne repartirait pas avec eux, sa vie était désormais à mes côtés.

Après leur départ, nous avons regagné notre chambre. Sue et Nancy, qui faisaient partie du groupe d'Australiens, sont venues nous inviter à prendre le thé sur la terrasse. Nous étions comme deux petites filles, tout heureuses de cet imprévu.

Sue a joué avec Nishu, ce qui m'a permis de parler tranquillement avec Nancy.

- Tu la ramèneras, me dit-elle. Vous êtes liées toutes les deux. Votre relation est forte et cela te donnera l'énergie pour aller jusqu'au bout de ce que tu dois vivre.

Sue qui, entre-temps, était venue nous rejoindre, ajouta :

- Demain, je vais demander au groupe de se réunir, nous prierons pour vous deux et nous vous enverrons beaucoup de lumière. Avant notre départ pour l'Inde, nous échangerons nos adresses, j'aimerais tant connaître la fin de votre histoire.

La nuit est tombée et, malgré tout le réconfort que m'avaient apporté Sue et Nancy, les peurs et les angoisses se sont de nouveau manifestées.

Au moment où nous allions quitter la chambre pour aller dîner, le téléphone a sonné. C'était Krishna.

- Nous avons rendez-vous demain matin à dix heures trente au bureau de Pramada, on se retrouve là-bas.

L'effet de son appel a été immédiat. Je me suis détendue et le repas du soir s'est passé agréablement.

Dans le bureau de Pramada, il y avait ce matin-là beaucoup d'animation. Entre les sonneries du téléphone et les allées et venues de ses collaborateurs, il a été difficile de trouver un moment pour discuter. Finalement, pour avoir un peu de calme, Pramada a fermé la porte de son bureau, elle s'est assise et m'a demandé de lui résumer la situation.

- Mon dossier est bloqué depuis bientôt trois semaines par un homme qui refuse de me rencontrer.

Elle s'est adressée à Indira en népalais. Krishna a émis un sourire, et Pramada s'est alors tournée vers moi.

- Il n'y a plus de problème avec cet homme parce qu'il doit quitter son poste. Le fonctionnaire qui doit le remplacer est un de mes amis et Indira le connaît aussi très bien.

Je ne m'emballais pas car nous avions déjà fait tant de démarches qui n'avaient jamais abouti. D'autant plus que personne ne savait encore quand cet homme partirait ; cependant, il y avait une nouvelle ouverture et, donc, un espoir renouvelé.

Ils ont discuté un moment tous les trois ; à la fin de l'entretien, Pramada s'est levée et s'est avancée vers nous.

- Indira ira au ministère dès demain pour faire le point sur votre dossier. Elle contactera ensuite votre ami Krishna.

Le mardi 13 janvier

Pep, l'Espagnol, est passé me voir à mon hôtel, il venait prendre de mes nouvelles. La réponse a été vite donnée puisqu'il n'y en avait aucune. Son dossier était toujours bloqué, ce qui nous laissait supposer que le mien n'avait pas dû bouger non plus. Il avait aperçu Indira au ministère et avait pu échanger quelques mots avec elle. Tous, nous attendions le départ de ce fonctionnaire qui accumulait les dossiers d'adoption sur son bureau. Pep m'a vivement conseillé de me rendre le plus vite possible au ministère et de rencontrer le secrétaire spécial, un homme qui a beaucoup de pouvoir dans le déroulement de la procédure.

Nishu

J'ai décidé de suivre le conseil de Pep et je me suis rendue au ministère avec Nishu. Le secrétaire spécial nous a reçues sans nous faire attendre, ce qui était assez rare.

En entrant dans son bureau, il m'a fait signe de m'asseoir sans me regarder.

- Qu'est-ce que je peux faire pour vous, me demanda-t-il d'une voix ferme, sans pour autant lever ses yeux sur moi ?

- J'aimerais que vous puissiez m'expliquer pourquoi vos services refusent de signer mon dossier.

- Si je reçois un ordre du ministre, je m'exécuterai, mais ce n'est pas le cas. Je n'ai pas aperçu dans votre dossier le document de l'orphelinat de Balmandir.

Je voyais bien où il voulait en venir. Il me réclamait un papier que je ne pourrais jamais lui fournir puisque ma fille ne sortait pas d'un orphelinat. Alors j'ai tenté le tout pour le tout.

- Lorsque j'ai démarré ma procédure d'adoption en mars 1997, ce document n'était pas nécessaire. Si je ne peux pas finir mon adoption, la vie de ma fille est brisée.

Et il m'a répondu :

- Ce n'est pas mon problème.

Il était inutile de poursuivre la conversation ; devant moi, j'avais un mur.

- Je comprends qu'il vous soit difficile de prendre des initiatives, je vous remercie de m'avoir reçue.

En quittant son bureau, j'étais dans une grande colère intérieure, j'avais envie de tout casser ce qui était autour de moi. Pour ne pas rester sur une note négative, j'ai voulu rencontrer le secrétaire qui bloquait mon dossier.

Après une heure d'attente, on est venu me dire que je devais me rendre au rez-de-chaussée, dans le bureau des adoptions.

Un fonctionnaire m'attendait devant la porte, il m'a fait entrer et, avant que je n'ouvre la bouche pour lui poser une question, il m'a dit très sèchement :

- Regardez.

Il m'a désigné une armoire métallique qui ressemblait à un coffre-fort. Elle était fermée par une énorme chaîne et un gros cadenas.

- Votre dossier est à l'intérieur. Il est en attente d'une nouvelle loi concernant l'adoption.

- Quand cette loi doit-elle passer ?

- Je ne sais pas, peut-être dans deux ou trois semaines. J'ai expliqué tout cela à votre amie hier.

Mon dossier était enchaîné pour un temps que je n'osais imaginer. Deux semaines ! Au Népal, cela pouvait vouloir dire un mois, peut-être six, voire une année. Cette loi pourrait même ne jamais être votée. Je comprenais mieux le silence d'Indira, elle n'avait pas su comment m'annoncer cette dernière information.

N'ayant plus rien à faire au ministère, j'ai décidé de rentrer à mon hôtel. Pour aujourd'hui, j'en avais assez entendu. La soirée fut tendue, Nishu dormait et je tournais en rond dans la chambre. J'étais dans une impasse et je ne voyais pas comment je pouvais m'en sortir. Je me suis couchée avec de violentes contractions abdominales. Aux alentours de minuit, j'ai dû me lever pour aller vomir ce que j'avais entendu toute cette journée. J'ai passé toute la nuit debout à me vider ; de ma vie, je n'avais jamais connu ça.

Vers huit heures du matin, les symptômes se sont estompés, les médicaments commençant à faire de l'effet. Je n'avais plus de force et je ne tenais pas debout, je suis restée au lit jusqu'à l'heure du déjeuner. Nishu a joué et dessiné près de moi ; de temps en temps, elle venait chercher un câlin puis elle se replongeait dans ses jeux.

Exceptionnellement, j'ai commandé le déjeuner au restaurant de l'hôtel et nous avons mangé sur la terrasse. Je doutais de la fraîcheur de la nourriture que l'on nous avait servie mais, bon, du riz bouilli ne pouvait pas me rendre plus malade.

En début d'après-midi, Anna m'a téléphoné.

- J'aimerais te faire rencontrer une de mes amies. Est-ce que tu peux venir à la pizzeria ?

- Tout de suite ?

- Oui, elle va arriver d'ici une dizaine de minutes.

Je savais que je devais y aller, Anna ne m'avait jamais appelé à mon hôtel. C'était donc important.

- J'ai été malade toute la nuit et je suis loin d'être en pleine forme mais, en marchant doucement, je pense pouvoir aller jusqu'au restaurant.

- Je t'attends.

Sur le chemin, j'ai croisé Krishna. Lorsqu'il m'a vue pâle et amaigrie, il m'a demandé ce qu'il m'était arrivé.

- Ne t'inquiète pas, c'est juste une grande fatigue. Je n'ai plus de symptôme, ça va aller.

La veille, nous avions déjà discuté du problème que j'avais rencontré au ministère. La voie népalaise était désormais sans issue possible et il ne pouvait plus m'aider dans l'immédiat.

En attendant l'amie d'Anna à la pizzeria, j'ai fait la connaissance de Chris, son mari. Nous avons discuté de ce que j'avais vécu au ministère.

- Patricia, à ce stade de la procédure tu as besoin d'aide ; il faut prendre un avocat. J'en connais un et, si tu es d'accord, je l'appelle. C'est quelqu'un d'honnête en qui tu pourras avoir confiance. Il connaît aussi beaucoup d'hommes politiques dont l'actuel ministre de l'Intérieur.

Il l'a donc contacté sur-le-champ. M. Sharma serait à dix-huit heures à la pizzeria. Chris prenait les choses en main, je n'étais plus en état de penser et, heureusement, que les solutions arrivaient de l'extérieur.

Nous sommes retournées à l'hôtel et je me suis reposée jusqu'à l'heure du rendez-vous. C'était la deuxième fois que l'on me suggérait de prendre un avocat. Lors de mon précédent voyage, le résultat avait été positif. Quant à Anna, elle ne m'avait pas fait venir à la pizzeria par hasard ; son amie n'est jamais venue mais c'est son mari que j'ai rencontré pour la première fois. Chris et Anna redonnaient à ma vie un souffle d'énergie et, surtout, ils ouvraient une nouvelle porte au moment où une autre s'était refermée.

M. Sharma, l'avocat, m'a écoutée avec beaucoup d'attention. Pour se prononcer, il devait tout d'abord étudier mon dossier. Anna et Chris sont intervenus plusieurs fois durant la discussion et Anna insistait beaucoup sur l'urgence de la situation.

- M. Sharma, c'est la vie d'une enfant dont il est question. Il faut faire vite et, surtout, nous devons trouver une solution.

L'avocat a acquiescé d'un signe de la tête.

- Je pense aller au ministère lundi pour consulter le dossier.

Nous étions jeudi, ce qui me laissait encore trois jours d'attente. Anna a dû lire l'inquiétude sur mon visage.

- Si tu ramènes Nishu en France, trois jours de plus, c'est peu de chose.

Elle avait raison, je devais lâcher prise sur ce genre de détails.

- Ne sois pas inquiète, nous allons t'aider. Demain, je contacterai un couple d'amis Américains qui désirent eux aussi adopter une petite fille. Ils seront très heureux de te rencontrer. Je vais organiser un rendez-vous et je te rappellerai dans la matinée.

C'est ainsi que, le lendemain après-midi, j'ai rendu visite à Suzan et Kevin à l'heure du thé. Ils habitaient dans une charmante petite maison à proximité de l'école américaine de Katmandu. L'accueil fut très chaleureux et, très vite, je me suis sentie à l'aise. Notre discussion s'est rapidement transformée en confidences.

- Nous sommes tous les deux enseignants à l'école américaine et nous vivons au Népal depuis presque deux ans. Au mois d'août 1997, j'ai mis au monde mon petit Steven. Jusqu'ici l'histoire est en quelque sorte banale, me fait remarquer Suzan, mais écoute la suite. Environ trois semaines après mon accouchement, j'ai été contactée par la directrice d'une maison d'enfants qui m'a demandé si je pouvais allaiter une petite fille, elle allait mourir et n'avait que dix jours. C'est ainsi qu'avec Kevin, nous nous sommes retrouvés parents de deux enfants en moins d'un mois. Depuis, nos enfants dorment dans la même chambre, je les allaite tous les deux et nous ne pouvons imaginer devoir nous séparer un jour de notre fille Kathy. Aujourd'hui, elle va bien et je ne suis plus du tout inquiète pour sa santé. Mais depuis trois mois, nous nous heurtons à l'administration népalaise qui a surgi comme un mur au beau milieu de notre merveilleuse histoire d'amour.

- Excuse-moi de te couper Suzan, mais Kathy a bien été abandonnée ?

- Oui, mais le problème n'est pas là. Ayant un premier enfant biologique, nous ne pouvons adopter un deuxième enfant que s'il est du sexe opposé au premier enfant et qu'il y ait au moins trois années d'écart entre eux. En ce qui concerne la seconde condition, ça sera toujours impossible. Pour l'instant, notre seul recours est de renouveler pour plusieurs années notre poste d'enseignant à Katmandu et de relancer la procédure à chaque changement de gouvernement.

J'étais sidérée par son histoire.

- Est-ce que dans ta vie tu avais déjà pensé à adopter un enfant ?

Suzan m'a souri.

- Depuis toujours, je voulais faire le premier enfant et adopter le deuxième, Kevin était d'accord avec cette idée. Mais, jamais, nous n'avions imaginé que notre fille viendrait frapper à notre porte.

Kevin nous a rejoints avec, dans ses bras, Kathy et Steven. Nous avons pris le goûter dans le jardin avec les enfants, Nishu était en admiration devant la poussette. Nous sommes donc allés faire une promenade, Nishu était assise à l'avant de la poussette et Kathy à l'arrière. Suzan portait son fils dans ses bras et, moi, je poussais un convoi exceptionnel de deux petites filles.

Le mardi 20 janvier

Je n'ai pas eu de nouvelle de l'avocat depuis notre rencontre. Krishna m'a appelée au moment où nous prenions le petit-déjeuner pour me demander de rejoindre Indira au ministère à douze heures. Elle attendrait à l'entrée, juste devant la grille.

Après avoir retrouvé Indira, nous nous sommes dirigées vers les bureaux.

- Le changement de secrétaire général a eu lieu hier. La situation va peut-être débloquer, c'est pour cette raison que je t'ai demandé de venir aujourd'hui, me dit-elle.

Au deuxième étage, Indira s'est tout d'abord adressée au bureau des adjoints pour demander un entretien avec le nouveau secrétaire général. Je pensais qu'il nous aurait reçues toutes les deux mais Indira est entrée seule dans son bureau. À l'autre bout du couloir, j'ai aperçu l'avocat qui me faisait signe de la main, je suis allée à sa rencontre.

- Namaste, me dit-il en me saluant.

- Namaste, M. Sharma.

- J'ai pu consulter votre dossier et j'essaie de rencontrer le ministre de l'Intérieur, il est très occupé aujourd'hui et ça ne va pas être facile. Je vous reverrai plus tard.

Il est reparti avant que je n'aie eu le temps de lui poser plus de questions.

Indira est sortie du bureau et m'a invitée à la suivre.

- J'aimerais obtenir un rendez-vous avec le ministre de l'Intérieur, me dit-elle en marchant.

Décidément, le ministre était très sollicité aujourd'hui ! Elle ne m'a pas dit un mot de l'entretien qu'elle avait eu avec le secrétaire et je n'osais pas le lui demander.

Devant le bâtiment qui faisait office de bureau pour le ministre de l'Intérieur, il y avait au moins cinquante personnes, ce qui laissait supposer une longue attente. Indira a disparu dans la foule après m'avoir recommandé de bien rester au bord de la pelouse, pour qu'elle puisse me retrouver. Il faisait très chaud, Nishu était fatiguée et ne tenait plus debout. Un couple d'Occidentaux s'est avancé vers nous. C'était des Espagnols, je ne les avais encore jamais vus au ministère. Ils ne parlaient pas anglais et nous avons eu beaucoup de mal à communiquer. La seule chose que j'ai pu comprendre, c'est que leur dossier était bloqué depuis deux mois, alors que leur fille venait de l'orphelinat de Balmandir.

Indira est revenue vers quinze heures sans avoir pu rencontrer le ministre.

- Il est trop occupé aujourd'hui, me dit-elle.

C'était la deuxième fois de la journée que j'entendais cette phrase. Voyant qu'Indira ne faisait aucune allusion à la rencontre qu'elle avait eue avec le secrétaire, je me suis décidée à lui poser la question.

- Indira, qu'est-ce que t'a dit le nouveau secrétaire à mon sujet ce matin ?

- Il doit étudier ton dossier et m'a demandé quelques jours pour se prononcer.

Nous avons regagné la sortie en silence. Indira n'était jamais très bavarde et, lorsqu'elle était seule avec moi, je devais lui arracher les mots de la bouche. Nous avons pris un taxi et, après l'avoir déposée chez elle, nous sommes allées chez Anna. Il était quatre heures de l'après-midi et nous n'avions pas mangé depuis le matin. J'avais bien dans mon sac à dos de quoi boire et grignoter durant ces longues journées d'attente, mais la tension était si forte que, la plupart du temps, je n'avais pas faim et Nishu se contentait de quelques biscuits avec des bananes.

Sajos, l'un des serveurs, avait une surprise pour Nishu. Anna s'était absentée et elle lui avait demandé de nous remettre un tricycle qu'elle nous prêtait jusqu'à notre départ. Nishu n'a plus quitté son vélo des yeux, nous avons dû rentrer à l'hôtel de toute urgence pour qu'elle puisse l'essayer. Le soir venu, il a dormi à côté du lit dans notre chambre !

Le mercredi 21 janvier

Le matin de bonne heure, j'ai eu un appel de l'avocat.

- Hier, j'ai pu rencontrer le ministre de l'Intérieur et il m'a certifié qu'il ne s'opposerait pas à l'adoption. Je connais Pramada et je vais la contacter afin qu'elle puisse joindre le nouveau secrétaire général, nous devons maintenant coordonner les décisions. Je vous retrouve ce soir vers dix-neuf heures à la pizzeria.

- À ce soir, M. Sharma.

Vivre le mieux possible ces longues journées n'était pas vraiment facile. Je savais pourtant qu'en lâchant prise et en acceptant d'être bloquée au Népal, je me faciliterais la tâche mais l'attente et l'incertitude m'usaient et j'étais dans l'incapacité de me détendre.

En arrivant en début de soirée chez Anna, j'ai eu la surprise de voir que le restaurant s'était transformé en quartier général. L'avocat était déjà là, en grande discussion avec les couples Espagnols qui avaient finalement décidé de me suivre dans cette ultime tentative. Je me suis installée avec Nishu à notre table habituelle et, en l'attendant, j'ai commandé le repas. Il est venu nous rejoindre au moment du dessert, accompagné du conseiller de Pramada qui avait lui aussi étudié mon dossier.

- Il est complet, clair et légal, me dit-il. Nous avons organisé un rendez-vous ce dimanche à quatorze heures avec le nouveau secrétaire général. Le ministre va de son côté rencontrer le secrétaire spécial, l'homme qui bloque tous les dossiers d'adoption.

M. Sharma a ajouté :

- Je suis très optimiste. L'adoption sera terminée dans une ou deux semaines.

Mes deux interlocuteurs observaient Nishu. Il émanait d'elle un tel rayonnement qu'elle aimantait une aide incroyable.

Après leur départ, je suis restée un long moment à penser, assise devant ma table. Anna est venue me tenir compagnie en m'apportant un verre de bordeaux pour me redonner des forces.

- Bois un peu, ça te fera du bien.

Mon corps était tendu, ma jambe droite avait du mal à me porter. Je ne répondais plus à ce nouvel espoir, ma pensée était inerte.

Le dimanche 25 janvier

Nous nous sommes retrouvés au ministère pour le grand rendez-vous avec le secrétaire général. Indira, M. Sharma et l'adjoint de Pramada ont discuté ensemble pour mettre au point les derniers détails. Je les ai attendus avec Nishu dans le couloir, en priant le ciel pour que tout se passe bien.

Au bout d'une heure, ils sont tous sortis du bureau. J'ai scruté l'expression de leurs visages, j'espérais y déceler un signe révélant que tout s'était bien passé. Rien ne transpirait. L'avocat me voyant tendue s'est avancé vers moi.

- Le secrétaire général ne peut pas signer votre dossier parce que le gouvernement connaît une autre crise politique. Si le ministre de l'Intérieur change, il a peur de perdre son poste.

- Je peux comprendre ses craintes mais que devient ma fille dans tout ça ?

- Seul le ministre de l'Intérieur peut désormais prendre une décision. Je connais l'urgence de la situation et je sais que Nishu ne peut plus retourner au village. J'ai donc pensé à une autre possibilité : celle de ramener Nishu en France en vous nommant tuteur.

Il attendait ma réaction, ce fut en vain. Je ne pensais plus, j'étais dans un trou noir, tout se bousculait en moi. J'avais envie de hurler, mais à quoi bon ! Pour Nishu, l'urgence, c'était l'ambassade, je m'y rendrais dès le lendemain à la première heure et je me donnais l'ordre de m'abstenir de penser jusque-là.

Nishu

Je fus reçu par le Consul et son attachée, Mme Pioli. Je leur ai expliqué toute la situation et ils ont vite compris que l'adoption était vraiment compromise du fait de l'instabilité politique du pays. C'est le Consul qui a pris l'affaire en main.

- Il faut maintenant absolument changer de cap et faire sortir cet enfant du Népal par un autre moyen que l'adoption. Avec ce qu'elle a vécu, elle ne peut plus rester ici.

Il a réfléchi quelques minutes et a repris la conversation.

- Nishu est en âge d'être scolarisée et s'exprime très bien en français, elle peut donc recevoir un visa d'éducation. Le seul problème de ce visa, c'est qu'il vous obligerait à revenir chaque année au Népal pour les vacances scolaires. La solution, c'est que le médecin de l'ambassade fasse un rapport de ce qu'il a constaté lors de l'examen médical de Nishu et, une fois en France, vous pourrez entamer une procédure ne vous obligeant pas à revenir au Népal comme le demande le visa d'éducation.

Là, ça devenait trop compliqué pour moi, j'avais beaucoup de mal à intégrer toutes ces informations. Je ne réalisais pas du tout ce qui se mettait en place et je n'étais même pas sûre que l'idée soit bonne.

- N'attendez pas la décision du ministre et préparez le passeport de Nishu le plus vite possible, il ne faut plus perdre de temps. Je vous conseille aussi de tenter d'obtenir le rôle de tuteur avec l'aide de votre avocat. L'urgence est de constituer un dossier le plus complet possible et dans les plus brefs délais.

Lorsque je suis rentrée à l'hôtel, j'ai trouvé un message de M. Sharma me demandant de le rappeler dès mon arrivée.

À sa voix, j'ai senti que quelque chose n'allait pas.

- Je reviens des bureaux du district de Katmandu. Le responsable ne peut vous accorder le rôle de tuteur que pour trois mois maximum. Je vais voir ce que je peux faire et je vous tiens au courant.

De nouveau, je me suis écroulée. Je mélangeais tout et je ne savais plus quels étaient les papiers que me réclamait l'ambassade. J'ai donc rappelé Mme Pioli pour quelle me répète ce que je devais faire.

- Ne vous inquiétez pas. Le rôle de tuteur ne sera peut-être pas nécessaire. Maintenant, vous dépendez de la France.

Cette fois, j'avais bien compris. En raccrochant, je me suis mise à pleurer, les nerfs lâchaient. Je n'étais même plus capable de discerner les bonnes nouvelles des mauvaises. J'étais à bout. Nous avons quitté l'hôtel et nous sommes allées chercher du réconfort auprès d'Anna. À Katmandu, c'était la saison creuse, il y avait à cette époque de l'année peu de fréquentation, ce qui nous a laissé tout le temps avec Anna de pouvoir discuter et de faire le point devant une tasse de thé.

- Tu as deux possibilités, me dit Anna. L'une est népalaise avec peu d'espoir et l'autre solution, c'est l'ambassade.

- J'ai du mal à comprendre comment le Consul va pouvoir nous aider à sortir du Népal !

- N'écarte aucune de ces deux pistes ; dès que l'une est prête à vous faire quitter le Népal, vous partez.

- Oui, je pense que tu as raison.

Je vivais une nouvelle fois le phénomène de la porte qui s'ouvre alors qu'une autre se referme. Nishu est venue nous rejoindre pour manger sa glace, elle s'est installée sur les genoux d'Anna, puis en se tournant vers elle, elle lui a confié :

- Papa, il a fait mal à Nishu.

- Oui, je sais cela, lui répondit Anna.

C'était la première fois que Nishu en parlait à Anna. Ensuite, ma fille m'a demandé :

- Pourquoi maman ?

- Je ne sais pas encore. Mais je te promets que toutes les deux nous allons chercher ce pourquoi et, qu'un jour, nous trouverons la réponse.

Nishu a quitté les genoux d'Anna pour jouer avec Sajos, l'un des serveurs. Anna était troublée et déstabilisée par ce qu'elle venait d'entendre.

- Je n'imaginais pas que l'on puisse se sentir aussi désarmé face à un enfant qui parle naturellement d'une expérience si traumatisante, j'ai eu du mal à trouver les mots justes.

- Face à cette situation, je suis tout aussi démunie que toi. Quelquefois, il m'arrive même de ne plus supporter de l'entendre en parler parce que je ne sais plus quoi lui dire pour l'aider.

Le lendemain, j'ai retrouvé Krishna pour organiser le voyage de Tej au village. Il apporterait les photos d'identité à Sharad pour qu'il fasse la demande de passeport de Nishu et, lorsque tout serait prêt, Tej le ramènerait à Katmandu.

Pendant la sieste de Nishu, j'ai médité. Cela faisait longtemps que je ne l'avais pas fait et ça me manquait. Le premier mot qui m'est venu fut « autorité ». Depuis toujours, j'ai été une rebelle face à l'autorité mais, au Népal, je vivais un vrai rapport de force face à elle. Mon guide, avec qui je communiquais depuis maintenant plusieurs mois dans mes méditations, m'a expliqué comment je pouvais modifier mon comportement.

- On ne casse pas l'autorité, on la reconnaît comme telle et on la respecte. C'est à toi maintenant de transformer ta pensée pour être en harmonie avec cette énergie. Lorsque tu auras compris le sens de cet apprentissage, tu débloqueras les freins que tu as mis en place.

Je suis au Népal depuis deux mois et je dois bien m'avouer que je n'ai pas encore compris le sens de ce que je vis. Je n'ai pas vraiment apprécié qu'il me parle de l'autorité mais, si c'est réellement ce qui bloque, alors j'ai encore beaucoup de travail.

Nishu s'est réveillée et, tout endormie, elle est venue se glisser dans mes bras. Nous avons bu le thé et nous sommes allées marcher jusqu'à la nuit dans les rues de Thamel.

Avant le dîner, je suis passée voir Krishna. Je l'ai trouvé en grande conversation au téléphone avec Indira. Quand il a eu terminé, il m'a annoncé :

- Indira n'a pas encore pu rencontrer le ministre, la prochaine tentative aura lieu lundi prochain.

Nous étions mercredi, le lendemain était férié ainsi que la journée de dimanche. La semaine était donc finie pour les démarches népalaises.

J'étais sur le point de partir lorsque Krishna m'a appelée.

- Patricia, j'ai oublié de te dire qu'à la demande de Pramada, le président du parti du congrès a appelé le secrétaire général pour connaître la raison du refus de la signature. Le secrétaire lui a répondu que ton dossier ne présentait aucun problème, il était même très positif. Cependant, il ne pouvait prendre aucun risque et s'en remettait à la décision du ministre.

- Merci, Krishna et à demain.

Je n'avançais pas d'un pouce avec le Népal. Nous avions devant nous quatre journées de vacances. Je programmais du repos, de la lecture et des balades. Physiquement et nerveusement, je me fatiguais vite et j'avais réellement besoin de longs moments de silence pour retrouver un peu d'énergie.

Le vendredi 30 janvier

Nishu fait du vélo sur la terrasse, je suis allongée sur une chaise longue et je lis. De temps en temps, mes yeux se ferment et je replonge dans mon monde intérieur.

C'est une femme de chambre qui est venue me sortir de mes pensées.

- On vous demande au téléphone, me dit-elle.

J'ai couru jusqu'à ma chambre pour prendre la communication, c'était Krishna.

- Je viens d'avoir des nouvelles du village. Le district de Bharatpur ne veut pas délivrer un passeport à Nishu parce qu'elle a déjà son document de sortie du territoire.

- Je vais appeler l'ambassade pour savoir ce qu'ils en pensent et je te tiens au courant.

Sans attendre, j'ai contacté l'attachée du Consul et je lui ai brièvement fait part de ce que je venais d'apprendre. Ce qu'elle m'a répondu ne m'avançait guère.

- C'est ennuyeux parce que le document de sortie du territoire ne peut pas recevoir un visa d'éducation, seul le passeport peut l'avoir. Essayez quand même de connaître les raisons de ce refus.

J'ai rappelé Krishna.

- L'ambassade a besoin du passeport. Peux-tu demander à Sharad qu'il propose au chef du district de joindre le Consul s'il veut avoir plus de renseignements. Peut-être qu'en donnant un sens plus officiel à cette demande, le district acceptera de faire le passeport.

- De toute façon, il faut tout tenter, me répondit-il.

J'ai essayé de ne pas me laisser déstabiliser par cette nouvelle, mais la nuit fut quand même agitée et j'ai eu beaucoup de mal à trouver le sommeil.

Le samedi 31 janvier

Au moins aujourd'hui, il n'y aurait ni bonne et ni mauvaise nouvelle puisque tout était fermé. Nishu a dessiné sur la table de la chambre, elle voulait apprendre à faire des maisons. De jour en jour, son visage s'ouvre malgré ces moments un peu sombres où un voile de tristesse semble l'envelopper. Son regard est alors perdu dans ses pensées et là, il y a un mur entre nous deux, elle n'est plus accessible.

Le lundi 2 février

C'est une journée importante, le ministre doit se prononcer au sujet de mon dossier. La matinée a été bien occupée, nous avons dormi jusqu'à neuf heures ; ensuite, nous avons pris notre déjeuner puis notre douche. Nous avons aussi lavé notre linge, Nishu adorait ça. À genoux sur le sol de la salle de bain, elle a frotté énergiquement une serviette. Elle l'a tout d'abord mouillée, puis l'a savonnée dans le sens de la longueur. Ensuite, elle a rabattu les côtés vers l'intérieur et l'a tapée sur le sol, tout en ramenant l'eau sur la serviette. À trois ans et demi, elle connaissait déjà tous les gestes du lavage à la main.

En fin de matinée, nous avons rendu visite à Anna. Dans cette attente, j'avais besoin d'être entourée, je ne me sentais plus assez forte pour vivre seule certains évènements.

Dans l'après-midi, Krishna m'a appelée au restaurant pour me donner les dernières nouvelles du Sud qui n'étaient guère réjouissantes.

- Le chef du district de Chitwan a refusé de délivrer le passeport de Nishu. C'est son document de sortie du territoire qui fait office de passeport jusqu'à ce qu'elle ait cinq ans. Avant de te téléphoner, j'ai vérifié l'information auprès du ministère des Affaires étrangères qui m'a confirmé cette loi.

- Ce n'est pas possible !

- Je suis désolé Patricia de ne pas pouvoir mieux t'aider.

- Tu n'y es pour rien Krishna, je vais appeler l'ambassade. À tout à l'heure.

Je m'interdisais d'avoir peur, j'attendais que l'on me dise quoi faire et que penser.

Mme Pioli m'a conseillé d'attendre la décision du ministre. Si elle était négative, le Consul demanderait une dérogation à Paris.

Vers dix-neuf heures, j'ai eu la surprise de voir arriver l'avocat, nous n'avions pourtant pas rendez-vous.

- Je savais que vous seriez chez Anna. Cet après-midi, j'étais avec Indira lors de l'entretien avec le ministre.

- Alors qu'a-t-il décidé ?

En lui posant la question, je n'ai même pas cherché à espérer une réponse positive, j'étais prête à entendre le pire.

- Il a refusé de signer votre dossier parce que Nishu ne vient pas d'un orphelinat. Il a proposé que vous achetiez un document pour mille dollars à l'orphelinat de Balmandir. Dès qu'il sera en possession de ce certificat, il signera le dossier.

- Je sais bien que, même en ayant ce document, je n'ai aucune garantie d'obtenir la signature. D'autant plus que l'un des couples Espagnols adopte une petite fille de cet orphelinat et leur dossier est bloqué chez ce même ministre depuis plus de deux mois.

- Écoutez, me dit-il. J'ai un ami qui connaît personnellement l'un des plus hauts responsables de Balmandir. Je vous propose de vous le faire rencontrer.

- Je n'ai plus rien à perdre, j'irai jusqu'au bout de chaque piste. C'est d'accord, vous pouvez organiser un rendez-vous.

Anna est venue nous rejoindre à notre table et je lui ai raconté les dernières nouvelles, elle a levé les yeux au ciel. Plus rien ne la surprenait, c'était une décision népalaise.

De retour à l'hôtel, j'ai couché Nishu qui tombait de sommeil. La soirée était douce, ce qui m'a permis de méditer, d'écrire et de penser. J'avais bien intégré le mécanisme de la porte qui se ferme et de l'autre qui s'ouvre. Et ce soir-là, j'ai compris que la porte qui se fermait représentait l'autorité. Je devais continuer d'avancer jusqu'à ce que je trouve la grande porte, celle de la liberté. L'aide que je recevais était importante, j'étais bien sur le bon chemin. En regardant le ciel étoilé de Katmandu par la vitre de la chambre, je me suis mise à parler à ma ville de lumière.

- Aide-moi, j'ai besoin de toute ta force pour sortir Nishu du Népal.

Je puisais mon énergie dans l'amour de ma fille et dans cette si belle et mystérieuse Katmandu.

Le mardi 3 février

Vers neuf heures, j'ai appelé Mme Pioli pour lui annoncer la décision négative du ministre.

- Ne vous inquiétez pas, le Consul appuiera la demande de visa auprès de Paris. Faites-moi passer au plus vite une lettre du père de votre fille vous désignant comme tuteur. Pour l'instant, nous devons préparer une arrivée légale en France pour Nishu.

- Je m'en occupe tout de suite et je vous rappelle dès que je l'ai.

Ensuite, j'ai joint l'avocat à son domicile pour lui demander de me préparer une lettre en anglais.

- Elle sera prête pour demain, ce n'est pas un problème.

- Je vous remercie. Je vais contacter le père de ma fille pour qu'il puisse monter rapidement à Katmandu.

Mon dernier appel fut pour Chitwan. Je redoutais d'avoir à téléphoner dans le Sud, puisqu'à chaque fois, c'était toute une histoire. Les lignes intérieures étaient très souvent occupées, il fallait insister longuement pour en obtenir une. J'ai laissé un message à la personne qui a décroché le combiné pour le frère de Sharad, il tenait une petite buvette juste à côté du standard téléphonique. Puis, à son tour, il a contacté Sharad qui habite un autre village, par le même procédé. J'ai rappelé une demi-heure plus tard pour avoir la réponse. Sharad viendrait à Katmandu demain pour signer la lettre.

Nishu jouait dans le jardin de l'hôtel, je l'ai rejointe et nous avons bu le thé. Alors que nous regagnions notre chambre, le réceptionniste de l'hôtel est venu me chercher en courant. On me demandait au téléphone.

C'était M. Subedi, un ami de Sonam. Il avait vécu à Paris pendant dix ans et parlait très bien notre langue.

- Bonjour, comment allez-vous aujourd'hui ?

- La procédure n'avance pas aussi vite que j'aimerais, mais ça va.

- Lorsque Sonam m'a parlé de vous, je lui ai proposé de vous rencontrer. Si je peux vous aider pour votre dossier, n'hésitez pas à faire appel à moi.

- L'ambassade m'a demandé d'aller au ministère de l'Intérieur pour que je puisse récupérer dans mon dossier les enquêtes où le père de ma fille renonce à ses droits sur l'enfant. Tous ces documents seront importants à mon arrivée en France. Je ne connais pas votre langue et j'aurais beaucoup de difficulté à retrouver ces lettres. Si vous pouviez m'accompagner, cela m'aiderait.

- Très bien, dites-moi quand voulez-vous que l'on se rencontre ?

- On peut se retrouver demain matin à onze heures à mon hôtel, si vous êtes libre.

- Pas de problème, je suis très heureux de pouvoir faciliter vos démarches. À demain.

J'étais soulagée d'avoir pu enfin trouver une solution à ce problème, M. Subedi s'était vraiment manifesté au bon moment. Mme Pioli m'avait dit que, sans ces documents, je ne pourrais entreprendre aucune démarche en France. Il me suffirait de les faire traduire en anglais et d'en donner une copie à l'ambassade.

La journée était magnifiquement ensoleillée, Nishu était assise sur mes genoux et nous regardions le ciel. Lorsqu'elle voyait un avion, elle me disait :

- Maman et Nishu vont prendre l'avion.

- Oui, je te promets que très bientôt, toutes les deux on volera dans le ciel.

L'émotion était contenue et ma voix voilée, j'avais si peur que cela ne puisse jamais se réaliser un jour. Comment notre histoire allait-elle se terminer ? Peut-être que la fin n'avait pas vraiment d'importance. Je ne demandais qu'une seule chose : ne plus être séparée de ma fille.

Après le goûter, nous avons rendu visite aux Espagnols, leur hôtel était à cinq minutes du nôtre. Ils venaient juste d'arriver du ministère, le secrétaire général n'avait manifesté aucun intérêt pour leur cas et n'avait même pas ouvert leur dossier. Leur petite fille Maria souffrait d'un problème auditif et devait être opérée le plus tôt possible. Lorsqu'ils lui ont fait part de cette urgence, le secrétaire leur a répondu que ce n'était pas son problème. Je connaissais bien la formule pour l'avoir déjà entendue. Ils étaient tous les deux accablés, la maman de Maria m'a montré le message qu'elle venait de recevoir par télécopieur, son employeur lui demandait de rentrer.

- Comment ça se passe pour vous professionnellement, me demanda-t-elle ?

- Heureusement, la direction de mon entreprise est très compréhensive. Pendant environ huit ans, je n'ai pris qu'une seule semaine de congé par an. Avec mon employeur, nous avons trouvé un arrangement, ce qui me permet aujourd'hui de pouvoir me consacrer entièrement à mon adoption sans être inquiète pour mon emploi.

- Vous avez de la chance, me répondit-elle d'une voix triste.

Nous étions tous arrivés à une impasse sur notre chemin. Qu'allait-il se passer maintenant pour chacun de nous ? Si leur dossier ne débloquait pas rapidement, leur fille retournerait à l'orphelinat. C'était inimaginable et, pourtant, nous étions tous impuissants face à cette situation. La maison d'enfants d'où venait Maria avait pourtant reçu l'agrément du gouvernement népalais mais le secrétaire général ne le reconnaissait pas. C'était à devenir fou. Nishu serait peut-être la seule à sortir du Népal, mais à quel prix ? Pep, l'autre Espagnol venu seul au Népal pour l'adoption de sa fille, était reparti pour des raisons professionnelles, il y avait maintenant deux semaines. Lorsqu'il a pris cette terrible décision, il a pleuré pendant plus de trois jours.

Nous étions tous silencieux, chacun étant plongé dans ses réflexions intérieures. Je pensais à tous ces enfants dans les orphelinats et dans les rues qui attendent juste un peu d'amour ou un regard. Que devaient-ils encore vivre pour éveiller notre conscience ?

Le jeudi 5 février

La journée s'annonce chargée, M. Subedi vient tout juste de se faire annoncer à la réception de l'hôtel. Le père de Nishu doit arriver vers treize heures, ce qui me laisse trois bonnes heures pour aller au ministère.

M. Subedi est un homme charmant, nous avons bu le thé pour faire plus ample connaissance et nous avons été ensuite déposer Nishu à l'hôtel de Krishna. C'était la première fois que je confiais ma fille à quelqu'un, ce n'était pas n'importe qui, mais j'étais quand même inquiète. De toute façon, je n'avais pas vraiment le choix. Si au ministère les fonctionnaires la voyaient avec moi, ils pourraient avoir des soupçons. La seule consigne que j'ai donnée à Krishna était de ne pas quitter Nishu jusqu'à mon retour.

Au ministère de l'Intérieur, nous nous sommes rendus directement dans le bureau où le dossier avait été déposé, dans la fameuse armoire métallique. M. Subedi a expliqué au fonctionnaire présent que l'ambassade avait besoin d'avoir la copie de certains documents figurant dans mon dossier. Je devais absolument les remettre au Consul avant mon départ pour la France.

- Où est l'enfant, me demanda le fonctionnaire ?

- Dans son village, lui ai-je répondu.

Sans aucune difficulté, il nous a remis le dossier. M. Subedi a pu l'examiner en prenant tout son temps, il lisait très attentivement chacun des documents.

- Je pense que j'ai trouvé ce que vous cherchez.

Il m'a tendu deux lettres écrites en népalais.

- La première est une enquête de police du district de Bharatpur. Elle affirme que la mère de l'enfant est partie et que le père vous confie sa fille pour l'adoption. La deuxième lettre répète un peu les mêmes choses mais avec plus de détails. Votre nom y est cité et il est écrit que le père renonce à ses droits sur l'enfant.

- C'est exactement ce que l'ambassade me réclame, je ne pensais pas les trouver dans mon dossier.

- Ne bougez pas, je vais demander au fonctionnaire si nous pouvons avoir une copie de ces documents.

Nous avons attendu une heure pour obtenir l'autorisation. Le ministère de l'Intérieur n'ayant pas de photocopieur dans leurs locaux, c'est un employé qui s'est chargé de les faire à l'extérieur.

À son retour, il nous a remis les lettres mais il a refusé de les certifier conforme, c'était inutile d'insister.

- Je vous propose que nous allions directement au ministère de la Justice pour faire traduire vos papiers en anglais, me suggéra M. Subedi.

- Oui, vous avez raison, ne perdons pas de temps.

Nishu

M. Subedi semblait bien connaître les lieux car, en quelques minutes, on a pu trouver le bureau des traductions et y déposer notre dossier. Il ne serait pas prêt avant le 11 février. Nous avons vite repris un taxi, j'étais tendue et angoissée d'avoir laissé ma fille. Il était treize heures trente et Sharad était sûrement déjà arrivé.

Je ne m'étais pas trompée. En arrivant à l'hôtel, je l'ai trouvé buvant son thé. Nishu mangeait du riz à ses côtés et, lorsqu'elle m'a vue, elle a couru dans mes bras tout heureuse de me revoir.

- M. Subedi, sans votre aide, je n'y serais pas arrivée. Je vous remercie beaucoup.

- Ce n'est pas grand chose, mais si vous avez encore besoin de moi, n'hésitez pas. Je vous laisse parce que je suppose que vous avez beaucoup à faire. Bonne journée et à bientôt.

- Au revoir, M. Subedi.

J'ai tout de suite appelé l'avocat pour le prévenir de l'arrivée de Sharad.

- Je vous retrouve dans un quart d'heure chez Anna.

- Très bien, on arrive.

Pour une fois, M. Sharma était à l'heure. Il a expliqué à Sharad que pour être en règle, le document devait être signé par le district de Chitwan. Il avait préparé un courrier en népalais pour accompagner la lettre écrite en anglais, me désignant comme tuteur. Sharad devait se rendre le lendemain au district de Bharatpur et ramener le document dès dimanche à Katmandu. Il ne s'est donc pas attardé.

Lorsqu'il fut parti, Nishu a pleuré, c'était la première fois qu'elle réagissait ainsi au départ de son père. Elle ne comprenait peut-être pas trop ses allées et venues qui ajoutaient de l'incertitude à son avenir.

- Vous savez, me dit l'avocat, les deux couples Espagnols ont obtenu leur signature ce matin même. Ils quittent Katmandu dimanche.

C'était tellement inattendu que je n'ai pas pu lui répondre tout de suite. Je pensais à la petite Maria qui ne retournerait pas à l'orphelinat et aussi à l'autre petite fille qui venait de Balmandir. Deux enfants étaient sauvés.

Le passage

- Je suis très heureuse pour eux, je passerai les voir avant qu'ils ne quittent le Népal. Je suppose qu'ils attendent la traduction des derniers documents ?

- Oui, normalement tout devrait être fini demain.

Nishu a été très difficile toute la journée. Elle pleurait facilement, son regard semblait perdu dans des pensées qui m'échappaient. Je l'ai couchée tôt pensant qu'elle devait être fatiguée. Vers vingt-trois heures, au moment où je m'apprêtais à dormir, je l'ai entendue gémir et pleurer. Son visage était marqué par une grande douleur, elle se tordait dans tous les sens en disant non avec la tête. Je ne savais pas si je pouvais la sortir de son cauchemar. Avec beaucoup de douceur, je l'ai appelée. Ce fut sans résultat, elle ne m'entendait pas. Le cauchemar s'amplifiait et j'avais du mal à la regarder souffrir sans rien faire. Finalement, au bout de plusieurs tentatives, Nishu s'est réveillée. Elle m'a regardée avec des yeux ronds, l'expression de son visage était fixe et vide. Elle semblait inanimée, ailleurs.

- Nishu, je suis là. Qu'est-ce qu'il t'arrive ?

Elle ne répondait pas.

- Tu as eu peur ?

Par un signe de la tête, elle m'a répondu que oui.

- De quoi as-tu eu peur ?

De nouveau, son visage s'est crispé et elle s'est mise à pleurer. Il n'y avait qu'une seule chose qui pouvait la mettre dans un état pareil, c'était son père. Sharad était arrivé cet après-midi pendant mon absence, peut-être avait-elle pensé qu'il venait la chercher.

- Tu as peur de ton papa ?

Son visage s'est alors déformé tant la souffrance était profonde, j'avais l'impression qu'elle était en train de brûler tellement elle avait mal. Elle s'est jetée à mon cou en pleurant, elle est restée ainsi un grand moment ne voulant pas que je la regarde, se sentant honteuse et coupable. Et puis, elle m'a chuchoté dans l'oreille :

- Papa, il a fait mal à Nishu.

Les mots avaient du mal à sortir. Elle m'a montré son bas-ventre et a pleuré, tant pleuré. J'étais désespérée et désarmée, je l'ai prise dans mes bras et, en la berçant, je l'ai rassurée.

- Papa ne te fera plus jamais de mal, c'est fini. Tu n'iras plus à Jyamire, je suis là maintenant, tout près de toi.

Durant cette nuit, il y a eu entre nous un échange profond de regard et d'amour. Nishu m'avait livré sa souffrance, c'était la première fois qu'elle acceptait de se laisser porter. Mes larmes se sont mêlées aux siennes, nous venions toutes les deux de lever un voile, on se rapprochait un peu plus l'une de l'autre. Tout doucement, son visage a repris une forme et une expression normales, les pleurs ont cessé et elle m'a demandé de la laisser dormir.

La nuit a été très calme pour Nishu ; quant à moi, je n'ai pas pu trouver le sommeil. Je me suis souvenue des douleurs que j'avais ressenties en France durant l'été, je faisais le lien avec le vécu de ma fille et l'intensité de son mal qu'elle avait exprimé ce soir. Je savais maintenant avec certitude que Nishu m'avait appelée cet été de toute son âme pour que je l'entende.

Le vendredi 6 février

Nous sommes restées une partie de la journée à l'hôtel, au calme, nous en avions besoin toutes les deux. En milieu de matinée, j'ai appelé le médecin de l'ambassade pour lui faire part de ce qui s'était passé cette nuit.

- Je sais que ce n'est pas facile pour vous, mais votre fille évacue sa souffrance et c'est important qu'elle puisse le faire. Bien que cela soit douloureux, elle pourra plus facilement entreprendre une thérapie plus tard.

- Je suis de plus en plus convaincue que son père a voulu la déflorer.

- Je le pense aussi.

- Est-ce que vous savez si c'est une pratique courante au Népal ? Nishu est de religion hindoue, peut-être que l'explication est religieuse ?

- Non, je n'ai aucune information. Ici, la sexualité est un sujet dont on ne parle pas. Cependant, il semblerait quand même que l'inceste et la pédophilie soient plus développés dans la religion hindoue.

- Quelle que soit la raison qui a motivé cet acte, Nishu l'a vécu comme un viol.

- Oui, et la blessure est profonde. J'aimerais pouvoir vous aider davantage mais j'ai si peu d'expérience dans ce domaine. C'est la première fois que je suis confronté à une telle situation.

- Vous m'écoutez, ce n'est déjà pas si mal ; j'ai surtout besoin d'en parler.

- Chaque fois que vous en éprouverez le besoin, n'hésitez pas. Appelez-moi.

En raccrochant, je me suis rendu compte que mon long séjour à Katmandu était une aide importante pour ma fille. Elle n'était plus au village, tout en étant dans son pays. En vivant à mes côtés, elle s'initiait avec douceur à une autre culture et basculait ainsi graduellement dans sa nouvelle vie.

En milieu d'après-midi, j'ai eu un appel du Sud. Un ami de Sharad m'a informée que le chef de district refusait de signer le document me désignant comme tuteur, il ne voulait pas prendre cette responsabilité. Le gouvernement népalais continuait de s'acharner contre nous et le sens de ce refus m'échappait complètement. J'ai donc contacté l'avocat pour savoir ce qu'il pensait faire, sans la signature du Sud.

- Faites quand même venir Sharad pour dimanche, on essaiera d'obtenir cette autorisation par le district de Katmandu.

Dans la foulée, j'ai décidé de me rendre à l'ambassade pour les prévenir de cette dernière information. L'attachée du Consul n'a pas été inquiète.

- Si vous avez récupéré les bons documents au ministère, vous n'aurez pas besoin du rôle de tuteur. On fera sans, mais allez quand même jusqu'au bout. On ne sait jamais.

Nous avons aussi parlé de la signature définitive que le gouvernement népalais avait accordée aux deux couples Espagnols. Lors d'un ultime rendez-vous avec le secrétaire général, les deux couples avaient demandé à un employé de l'ambassade de les accompagner. Il était d'origine Espagnol et avait accepté de servir d'interprète. À Katmandu, l'Espagne n'est pas représentée et ses ressortissants dépendent de l'ambassade de France. Le secrétaire général fut très impressionné qu'un fonctionnaire de l'ambassade se soit déplacé. Le début de l'entretien a été consacré à l'évocation des souvenirs de voyages du secrétaire lorsqu'il était en France. Il n'en a pas fallu plus pour qu'il signe dans la foulée les deux dossiers bloqués depuis des semaines sur son bureau. C'est ainsi que le destin de deux petites filles a basculé.

Le Consul est alors entré dans le bureau.

- Vous devriez pouvoir quitter le Népal d'ici le 13 février. Réservez deux places d'avion dans cette période.

Je n'ai pas regretté ma visite, je suis repartie plus rassurée.

Avant le dîner, nous sommes passées dire au revoir aux Espagnols, je les ai trouvés dans le hall d'entrée de leur hôtel. Leurs visages étaient plus détendus mais ils ne réalisaient pas encore très bien ce qui leur arrivait. Avec beaucoup d'émotion, nous nous sommes souhaités bonne chance pour la suite de notre cheminement.

Le dimanche 8 février

Dès l'arrivée de Sharad, nous avons quitté l'hôtel pour rejoindre l'avocat, il m'avait donné rendez-vous à dix heures dans les bureaux de Pramada. Je ne comprenais pas pourquoi il avait organisé une rencontre aujourd'hui, néanmoins, nous y sommes allés.

Il y avait beaucoup de monde dans le jardin. Pramada y avait installé une chaise et c'est au milieu de la pelouse qu'elle recevait les différentes personnalités du monde politique. Lorsqu'elle nous a aperçus, elle s'est levée et elle est venue à notre rencontre.

- Où en êtes-vous dans vos démarches ?

- Je piétine, mon dossier est toujours bloqué. Le ministre de l'Intérieur me demande maintenant d'acheter un papier à Balmandir.

- Je suis très étonnée que rien n'ait abouti. Je vais voir si je peux organiser un entretien avec les responsables de l'orphelinat de Balmandir.

Elle s'est absentée quelques instants pour téléphoner dans son bureau. Je ne croyais pas trop à cette piste de Balmandir mais, bon, je devais tout essayer.

Elle est ressortie de la maison avec un air satisfait.

- Vous pouvez vous présenter dans la journée à l'orphelinat, vous êtes attendue.

- Je vous remercie.

Nous avons quitté les lieux et, avant de nous séparer, l'avocat m'a demandé de le retrouver au district de Katmandu à douze heures trente. Il était onze heures, nos avions juste le temps de déjeuner. Je remarquais quand même que c'était grâce à l'intervention de Pramada que je pouvais rencontrer les responsables de Balmandir. Mon avocat n'y était pas arrivé.

Aujourd'hui, j'avais du mal à supporter la présence de Sharad, je me sentais mal à l'aise. Depuis son cauchemar, Nishu me parlait toute la journée de ce que son papa lui avait fait, j'avais beaucoup de difficulté à faire face. Du petit-déjeuner au dîner, j'entendais :

- Papa a fait mal à bébé.

Son regard m'interrogeait et semblait me demander : « Pourquoi celui que j'aime tant m'a-t-il fait cela ? »

Je n'avais pas de réponse. Je ressentais une pression sur le cœur et des nausées juste en croisant le regard de ma fille, regard qui portait à lui tout seul le poids d'une souffrance et d'une déchirure indescriptibles et là, je me sentais démunie. Il n'y avait personne à Katmandu qui puisse me conseiller sur la façon d'aider Nishu. Le médecin de l'ambassade était un peu désemparé avec notre histoire. Ce problème, en s'ajoutant à celui de l'adoption, prenait soudainement beaucoup de place, je n'avais plus assez d'énergie pour gérer les deux.

Après le repas, nous avons pris un taxi pour nous rendre au district. En entrant dans la cour, je n'ai pas vu M. Sharma. J'ai donc proposé à Sharad qu'on l'attende à l'ombre, le soleil était à son point le plus haut et la chaleur était écrasante. Il a préféré aller boire un thé dans une gargote.

Je commençais sérieusement à m'impatienter lorsque j'ai enfin aperçu l'avocat accompagné de l'adjoint de Pramada, il était quatorze heures.

- Vous nous attendez ici, nous allons voir si le chef du district peut nous recevoir, me dit M. Sharma.

Ils sont très vite ressortis des bureaux et l'avocat m'a fait un compte rendu de la situation.

- Le responsable n'est pas là aujourd'hui, nous avons juste pu parler quelques instants avec son adjointe. Si votre ambassade peut vous faire une lettre de recommandation, elle est d'accord pour vous délivrer un document vous désignant comme tuteur.

Nishu

Sharad était venu à Katmandu pour rien. Il est donc reparti à Chitwan et reviendrait dans deux jours. Heureusement qu'il était disponible et acceptait sans problème ces allées et venues.

L'avocat a jeté un rapide coup d'œil à sa montre et m'a proposé de nous rendre à l'orphelinat de Balmandir. J'ai tout de suite accepté, inutile de laisser en suspens ce qui avait été décidé.

Le taxi nous a déposés devant le portail, une immense grille cachait un espace de verdure où des enfants jouaient au ballon. Le bâtiment était ancien et, à l'intérieur, c'était austère, rien ne laissait supposer que des enfants vivaient dans ces lieux. Je remarquais quand même dans le hall d'entrée de jolis lustres représentant de petits anges, ils tenaient chacun une lampe dans leur main.

Le bureau du directeur se trouvait au premier étage, nous avons été reçus par les trois plus hauts responsables de l'orphelinat. Dans la pièce, deux chauffages fonctionnaient, ça nous changeait de la température du reste des locaux. On nous a servi le thé dans un ravissant service de porcelaine. Chaque fois que Nishu prenait ma tasse entre ses mains pour boire, je sentais que nos hôtes tremblaient pour le service à thé de l'orphelinat.

J'ai écouté la conversation en népalais, comme d'habitude je n'ai pas compris grand-chose. Il m'a semblé entendre citer le nom du ministre de l'Intérieur et, puis, j'ai remarqué à plusieurs reprises l'étonnement du directeur. L'entretien n'a duré qu'une demi-heure et, lorsque nous avons pris congé, tous les regards se sont dirigés sur ma fille, ponctué d'un long silence.

En regagnant le taxi, l'adjoint de Pramada m'a rapporté ce qui s'était dit lors de l'entretien.

- Contrairement à ce que nous a proposé le ministre, on ne peut pas acheter de papier certifiant que l'enfant vienne de l'orphelinat. Si vous faites rentrer Nishu à Balmandir, elle ne sera adoptable qu'au bout de trente-cinq jours, visites interdites durant le séjour. L'adoption ne pourra avoir lieu que cinq à six mois plus tard sans que l'on puisse vous garantir que ce soit bien cet enfant que vous pourrez adopter. Les décisions de l'orphelinat sont prises par un conseil réunissant plusieurs personnes.

- Vous pensez bien que je ne peux pas imaginer ma fille dans un endroit pareil. Ce dont je suis sûre aujourd'hui, c'est que personne au Népal ne semble connaître les lois. Je n'entends jamais le même son de cloche, tout le monde se contredit et je ne saurai jamais qui détient la vérité.

Cette journée n'avait pas vraiment fait avancer les choses, mais j'étais soulagée que cette piste ne puisse pas aboutir.

Le lundi 9 février

J'ai une visite à faire à l'ambassade pour récupérer les deux lettres que me réclame le district de Katmandu.

Avec Mme Pioli nous avons fait le point de la situation.

- Je pense que c'est bien d'avoir été à l'orphelinat mais, dans la mesure où le ministre et les hauts fonctionnaires de Balmandir ne semblent pas être sur la même longueur d'onde, il est préférable de ne pas donner suite.

J'étais bien d'accord avec elle.

En sortant de l'ambassade, un taxi s'est mis à klaxonner à tue-tête. Une fois à ma hauteur, il s'est arrêté et l'avocat en est descendu.

- Comment saviez-vous que j'étais à l'ambassade ?

- Je viens d'appeler votre hôtel et, comme vous aviez laissé un message si on cherchait à vous joindre, je n'ai eu aucune difficulté à vous trouver. Il me faut un certificat de police mentionnant votre honnêteté et votre aptitude mentale à vous occuper d'un enfant.

- M. Sharma, la police française ne délivre pas ce genre de certificat.

- Alors vous devez vous rendre au ministère de l'Intérieur pour récupérer votre certificat médical.

Puis très calmement, il a ajouté :

- La lettre vous désignant comme tuteur ne sera pas prête mercredi comme prévu.

- M. Sharma, l'ambassade m'a demandé de réserver deux places dans l'avion de vendredi.

- Vous ne pourrez pas partir.

J'ai cru que j'allais exploser. Il y a seulement quelques jours, ce document ne présentait aucun problème et, aujourd'hui, il me disait que ce n'était plus possible.

- Écoutez, M. Sharma, je ne sais plus quoi vous dire. Je vais rentrer à l'hôtel et consulter mon dossier. Peut-être trouverai-je quelque chose qui se rapproche de ce que vous me demandez. Je vous rappellerai pour vous tenir au courant.

On s'est quitté avec un léger froid. Je me perdais dans d'éternels contretemps et je ne pouvais me fier à aucune parole donnée.

Une fois dans ma chambre, j'ai consulté l'épais dossier de Nishu. J'avais bien un certificat médical mais le mot « adoption » y étant mentionné, je ne pouvais donc pas l'utiliser. Je devais trouver une solution et vite. J'ai réfléchi un bon moment en relisant certains documents et, enfin, j'ai eu une idée !

J'ai appelé le médecin de l'ambassade pour lui demander de m'établir le même certificat médical que j'avais, sans que le mot adoption y apparaisse.

- Pas de problème, venez avec le vôtre et je vous le ferai tout de suite en anglais.

Je suis partie sur-le-champ pour l'ambassade. En un quart d'heure, j'avais entre les mains un document en bonne et due forme. Au moment où nous quittions le cabinet médical, Mme MM. Pioli est arrivée.

- Je vous ai aperçue dans le jardin et je voulais vous faire part de la conversation que je viens d'avoir au téléphone avec le directeur de Balmandir. Votre histoire l'a beaucoup touché et il vous conseille de finir l'adoption plus tard. Un texte de loi est prêt pour réhabiliter l'adoption privée, il sera voté peut-être dans un mois, six mois… qui sait ! Le gouvernement népalais est en crise, lorsqu'il se sera stabilisé, tout deviendra possible. Je pense que l'urgence est de faire sortir Nishu au plus vite. Il ne faut plus tenir compte des possibilités futures, elles sont trop incertaines.

Après le déjeuner, je suis passée voir Krishna pour lui demander d'appeler le ministère de la Justice.

- Peux-tu réclamer la traduction de mes documents en prétextant qu'ils sont destinés à l'ambassade de France ?

Comme d'habitude, Krishna m'a répondu :

- Pas de problème.

Depuis mon arrivée, il m'apportait toute l'aide dont j'avais besoin. Ma famille népalaise m'entourait de tant de gentillesse ; avec patience, elle faisait face à mes états d'âme sans jamais avoir émis une seule remarque.

Son intervention fut efficace puisque je pouvais récupérer mes documents une heure après.

Au ministère, un fonctionnaire m'a remis les traductions certifiées conformes. Sans perdre de temps, je suis allée en déposer une copie à l'entrée de l'ambassade.

Nishu manifestait des signes de fatigue, il était l'heure du goûter, nous allions pouvoir enfin faire une pause. Nous avons tout juste eu le temps d'entrer dans la chambre que le téléphone a sonné. C'était Mme Pioli.

– On vient de me remettre votre enveloppe. Avec ces documents, vous pourrez entreprendre sans problème les démarches pour légaliser la situation de Nishu en France. Je vous tiens au courant s'il y a du changement dans le programme.

– Merci et à bientôt.

Le retour était prévu dans trois jours, mais ni elle ni moi ne savions encore s'il aurait bien lieu. J'aurais pu enfin me détendre mais je n'y arrivais pas, la tension intérieure était grande et cette course aux papiers m'avait épuisée.

Ce soir-là, Nishu a eu du mal à s'endormir. Je remarquais que chaque fois que son père venait à Katmandu, la nuit qui précédait son arrivée était difficile. Elle pleurait dans mes bras, sans larmes. Une partie d'elle souffrait, recroquevillée contre moi comme un bébé, elle gémissait. Le médecin m'avait prévenue que la période d'évacuation serait longue et qu'il était important qu'elle puisse exprimer toutes les douleurs qu'elles avaient vécues. D'ailleurs, depuis quelques jours, Nishu se faisait appeler bébé et elle refusait catégoriquement que l'on prononce son prénom.

Le mardi 10 février

Sharad est arrivé à l'hôtel à douze heures trente. Nous avions juste le temps de prendre un taxi pour rejoindre l'avocat au district.

Nous avons été reçu par l'assistante du chef du district, une femme imposante et autoritaire. Elle a commencé par me fixer droit dans les yeux, puis a dirigé son regard vers l'avocat.

– Je ne peux pas accorder le statut de tuteur à cette dame si elle n'est pas résidente à Katmandu et qu'elle n'y travaille pas.

Nishu

Le ton était glacial, la décision ne pouvait être discutée. Pourquoi le Népal me disait-il non à l'adoption de ma fille ? J'ai avalé mes larmes et j'ai suivi l'avocat. J'étais déçue. Comment avais-je pu espérer que le district m'accorderait le statut de tuteur ? Le Népal était une voie sans issue, je devais m'habituer à cette pensée et l'accepter une bonne fois pour toute.

Nous sommes allées chercher du réconfort auprès d'Anna. En voyant ma tête, elle a tout de suite compris que je venais d'essuyer un refus de plus. Anna vivait au Népal depuis dix ans et connaissait très bien la culture et l'énergie de ce pays. Face à mon histoire, elle n'avait plus de réponse et ne pouvait imaginer la suite.

- Je te conseille d'appeler ton ambassade sans attendre.

J'hésitais ; en fait, j'avais peur. C'est Anna qui a dû composer le numéro d'appel.

Les dernières nouvelles étaient peu brillantes. La France ne pouvait délivrer à Nishu qu'un visa de trois mois, ensuite, elle se retrouverait en situation irrégulière. Le ministre des Affaires étrangères était favorable au dossier de Nishu. Il tenait compte de l'appui de l'ambassade et de l'histoire de ma fille, mais nous devions attendre une autre solution pour quitter le Népal.

L'avocat est arrivé vers dix-huit heures au restaurant, suivi du père de Nishu. J'avais totalement oublié ce rendez-vous et je ne savais même plus pour quelle raison nous devions nous retrouver. M. Sharma m'a proposé de rédiger une lettre dans laquelle Sharad me donnerait l'autorisation d'emmener Nishu en France pour qu'elle y suive une scolarité. Nous avons convenu de nous retrouver au même endroit le lendemain matin à onze heures, Sharad signerait la lettre.

- Ce soir, vous venez dîner toutes les deux à la maison. Le repas sera simple mais cela vous fera le plus grand bien, me dit Anna.

J'étais si désemparée qu'elle n'a pas voulu nous laisser seules.

À la fin du repas, les filles d'Anna ont joué avec Nishu. Elle découvrait pour la première fois une maison occidentale et elle était en admiration devant tant de jouets. Face à mes longs silences, Anna a tenté de me rassurer.

- Tu ne dois pas t'effondrer maintenant, il faut que tu t'accroches au moindre espoir. Demande à tes anges et à tes guides de te donner l'énergie dont tu as besoin.

- Au plus profond de moi, il y a une petite voix qui me dit que je n'ai pas le droit d'abandonner. Mais c'est si dure qu'en certains moments, je n'ai plus la force d'y croire, et je ne sais même plus ce que j'attends. J'avance parce que tu me portes et Krishna m'aide comme s'il était un frère. Le sens de ce que je vis m'échappe, certains soirs je ne peux pas méditer et je me sens coupée de la lumière.

- Aujourd'hui, tu te bats pour l'avenir d'un enfant. Sans t'en rendre compte, tu as mobilisé autour de toi un grand nombre de personnes. Si tu es portée, c'est parce que tu dois recevoir cette aide. Nous participons tous à une histoire dont on ne connaît pas encore le dénouement. L'essentiel est de contribuer à mettre en place un pont de lumière pour que tu puisses sortir Nishu. Nous sommes tous à tes côtés pour te soutenir dans ce chemin et t'aider à vivre ton expérience.

Chris qui écoutait notre conversation est alors intervenu.

- C'est exactement ce que je pense, tu vis quelque chose de difficile mais tu n'es pas seule et, un jour, tu comprendras cette histoire dans sa totalité.

Chris et Anna avaient raison. Je ne devais pas me laisser abattre et je me devais de reprendre ma vie en main.

J'ai retrouvé une chambre d'hôtel triste et froide, Nishu s'est vite endormie, elle tombait de fatigue. J'avais l'impression qu'une force très puissante était en face de moi et tentait de me faire tomber. Je ne devais pas m'écrouler mais plutôt trouver en moi les ressources pour sortir ma fille du Népal. Je me suis couchée en demandant de l'aide.

Le mercredi 11 février

À peine sortie de la cour de l'hôtel, les larmes ont commencé à couler, impossible de les arrêter. Je ne comprenais pas ce qui se passait ; ce matin, je me sentais bien et, dès que je me suis retrouvée dans la rue, c'est comme si la réalité m'était devenue insoutenable. Je pleurais tellement que les petits commerçants sont venus me réconforter. L'un deux nous a offert une banane, un autre nous a proposé du thé. Depuis bientôt trois mois, ils nous voyaient passer devant leurs échoppes et nous avions sympathisé.

Nishu

En arrivant à la pizzeria, j'ai trouvé Anna qui était déjà à ses fourneaux. Il n'était que dix heures du matin et, à cette heure, le restaurant était encore vide.

- Comment vas-tu ce matin, Patricia ?

- Je suis encore déstabilisée, je n'arrive pas à garder un équilibre. J'ai quelque chose à te demander, je sais que cela va te paraître bizarre mais j'ai besoin de le faire. Est-ce que tu peux m'aider à trouver une famille occidentale qui pourrait accueillir Nishu pour quelques jours ? Cela me permettrait de rentrer en France et de revenir plus forte pour finir l'adoption. Je ne sais pas pourquoi je te dis tout ça parce que je n'aurais jamais le courage de laisser ma fille.

Au moment où je finissais ma phrase, Lucas, un ami d'Anna, est arrivé. C'était la deuxième fois que je le rencontrais. Depuis plusieurs années, il vivait à Katmandu avec sa femme, tous les deux étaient d'origine Italienne et parlaient très bien le français. Anna lui a expliqué ce que je vivais en ce moment, nous avons longuement parlé et à la fin de la discussion, il m'a dit :

- Ne vous inquiétez pas. Nishu va rentrer en France avec vous, tout finira bien. Je suis d'accord pour garder votre fille si vous en avez besoin, mais ce ne sera pas nécessaire.

Tout comme Anna, Lucas était très proche de ma pensée, il ne m'avait pas dit cela par hasard. Anna s'est approchée de moi et a ajouté :

- Nos guides et nos anges travaillent à l'unisson, ce n'était pas prévu que Lucas vienne ce matin.

Nous avons souri…, bien sûr que c'était un signe.

M. Sharma et Sharad nous ont rejoints, la lettre était prête. J'ai appelé l'ambassade, je voulais la lire à Mme Pioli pour être sûre qu'elle contenait bien tous les éléments les plus importants.

Lorsque je l'ai eue en ligne, elle ne m'a pas laissé le temps de lui expliquer le motif de mon appel.

- Vous savez cette nuit je n'ai pas beaucoup dormi. Je pensais à Nishu et je cherchais une solution pour la faire sortir du Népal. La nuit m'a bien éclairée, j'ai pensé lui délivrer un laissez-passer. Elle pourra recevoir un visa d'éducation et vos démarches en France seront plus faciles.

- Justement, je vous appelais pour vous lire la lettre que l'avocat a faite.

- Alors, venez avec lui à l'ambassade, je vous attends. Anna a posé sa main sur mon épaule et me dit :

- Tu vois, tout le monde a été interpellé cette nuit !

Dès notre arrivée à l'ambassade, l'attachée du Consul nous a reçus dans son bureau. Elle a lu la lettre de l'avocat et elle lui en a préparé une deuxième, pour le passage de Nishu à l'aéroport.

Le Consul est alors entré à son tour dans le bureau.

- C'est bien que vous soyez là ce matin parce que cette nuit, j'ai eu une idée : nous pourrions délivrer un laissez-passer à Nishu.

Tous les deux avaient eu la même inspiration et ils n'avaient pas encore eu le temps de s'en parler.

Puis il a ajouté :

- Nous préparerons une procuration pour votre avocat, de manière à ce qu'il puisse finir l'adoption à votre place dès que la loi népalaise sera votée.

Durant toute la discussion, j'ai été obsédée par une image. Je me voyais à l'aéroport avec des menottes aux poignets, j'en avais des sueurs froides. J'étais à la limite de douter de ce que je venais d'entendre, tout en reconnaissant que je venais d'être témoin de la manifestation de plusieurs signes tangibles.

Au moment de quitter l'avocat à la sortie de l'ambassade, il m'a donné un autre rendez-vous pour le lendemain chez Anna à onze heures. Sharad signerait ainsi la deuxième lettre.

C'était l'heure du déjeuner. Sharad est parti rejoindre un ami, ils devaient aller ensemble au cinéma voir un film indien. J'ai emmené Nishu manger des spaghettis et, comme tous les enfants, elle a adoré. Ensuite, nous avons regagné l'hôtel, j'étais lasse et dans l'impossibilité de faire le bilan de la situation. J'approuvais la décision de l'ambassade sans pouvoir penser plus loin.

Le jeudi 12 février

Après dix bonnes heures de sommeil, j'ai préparé le petit-déjeuner. C'était pour moi le meilleur moment de la journée, je retrouvais des gestes quotidiens qui me sécurisaient et me maintenaient en vie. Je m'étais assez bien organisée : j'achetais de la confiture à l'orange et Anna m'avait donné l'adresse d'un restaurant qui vendait un délicieux pain au sésame. Je ne pouvais plus consommer les petits-déjeuners de l'hôtel au goût trop indien, je commandais juste le lait chaud de Nishu et mon thé.

Le rendez-vous avec Sharad et l'avocat fut rapide. Une fois les lettres signées, Sharad a pu prendre son autobus pour retourner au village. Chaque fois que j'ai eu besoin de lui, il avait été présent, sans jamais émettre le moindre désaccord. Sa réalité n'était pas la mienne et j'avais certainement beaucoup à comprendre sur ce qui faisait la différence entre les êtres humains. Je sentais que cet homme aimait profondément ses trois enfants, je l'avais pourtant condamné mais je n'avais plus le droit de le juger. Il n'y avait que Nishu qui puisse le faire et je devais respecter son choix ; elle aimait son père même s'il lui avait fait du mal. La seule façon d'aider ma fille était de rester le plus neutre possible et de me détacher émotionnellement de ce qu'elle avait vécu. Si à ses états d'âme j'y ajoutais les miens, on ne s'en sortirait pas.

En milieu d'après-midi, Mme Pioli m'a appelée pour me demander de repousser notre départ de huit jours. Elle n'avait eu aucune nouvelle de Paris et l'ambassadeur devait rencontrer le premier ministre népalais dans la semaine pour aborder le sujet des adoptions. C'était le coup de grâce ! Je n'en pouvais plus d'attendre. Sans la réponse de Paris, je n'avais qu'une seule chose à faire : m'incliner.

Je suis allée marcher dans Thamel avec Nishu, j'étais dans un bocal, je n'entendais plus rien. Je tenais la main de ma fille pour qu'elle me donne la force d'avancer. J'avais envie de tout arrêter, c'était trop dur. Avec des pensées pareilles, je ne me sentais même pas une bonne mère ! Ce soir-là, Anna n'était pas à la pizzeria, c'est donc seule que je devais faire face à ma vie. Comment accepter ces huit jours supplémentaires ?

Nishu est en pyjama, prête à se coucher. Elle s'est assise au bord du lit et s'est mise à répéter :

- Papa a fait mal à bébé, Jyamire a fait mal à bébé.

Je connaissais bien maintenant ses appels. Je l'ai aidée par des questions à s'exprimer plus profondément. Lorsque j'entre dans le sujet qu'elle me tend, elle se calme très vite. Son passé la terrorise, il remonte en force et elle ne peut plus gérer toutes les peurs qu'elle a vécues.

Le passage

Le vendredi 13 février

Je me sens mieux, j'ai accepté les huit jours. Anna nous a accompagnées au club américain, il est à dix minutes de marche de notre hôtel. C'est un immense parc avec tennis, piscine, terrain de base-ball, restaurant et, le plus important, un espace de jeux pour enfants. Durant plus de trois heures, Nishu est passée du toboggan à la balançoire puis au bac à sable. C'était un nouveau monde pour elle et, pour la première fois de sa vie, elle a vécu cet après-midi comme une petite fille de son âge. Pourtant, au moment du coucher, elle s'est refermée et ne parlait pas ; son regard noyé par la tristesse était hagard. Dans ces moments, j'avais du mal à supporter le poids qu'elle portait. Ce qui était curieux, c'est que Nishu pouvait paraître très joyeuse, les yeux baignant dans la lumière et, puis, brusquement elle basculait dans un chaos intérieur.

- Maman est partie avec l'avion, bébé a pleuré et Jyamire a fait mal à bébé.

Le message était clair et elle me l'a répété plusieurs fois pour que je l'entende bien. Nishu faisait allusion à mon précédent voyage où j'étais repartie seule en la laissant au village. Elle situait parfaitement le moment où elle avait eu mal, entre mes deux voyages. Ma fille avait une lucidité désarmante ! Je lui ai expliqué pourquoi je n'avais pas pu rester avec elle mais que, cette fois-ci, je ne la quitterais plus. Alors ses yeux ronds se sont ranimés et elle m'a dit :

- Maman a trouvé son bébé et bébé a trouvé sa maman. Tout le monde a trouvé.

Les journées et les soirées qui ont suivi furent heureusement plus calmes. Un léger parfum de liberté et de vacances m'ont aidée à vivre cette attente. Nous nous sommes rendues tous les jours au club américain, quelques fois nous y déjeunions. Chaque fois que nous franchissions l'entrée du parc, je nous sentais protégées, la vie nous accordait une pause, l'extérieur n'avait plus de prise.

Le vendredi 20 février

La réalité nous a rattrapées, les vacances étaient finies. L'ambassade m'a annoncé que nous ne pourrions pas partir dimanche comme prévu. Paris avait changé d'avis sur le choix du visa. Il avait été décidé de délivrer à Nishu un visa pour mineur sur son document de sortie de territoire et non plus un visa d'éducation sur un laissez-passer. Pour obtenir ce visa, il fallait une dérogation spéciale du ministère de l'Intérieur français et cela demanderait du temps.

Mme Pioli m'a réclamé deux lettres certifiées par le ministère de la Justice népalaise ; Paris en avait besoin pour présenter le dossier au ministère de l'Intérieur. Ma voix s'est éteinte au fil de la conversation, je n'ai plus été capable d'articuler un seul mot. Lorsque j'ai raccroché le combiné, je suffoquais. Comment allais-je aborder cette dernière information ? J'étais dans l'incapacité de faire preuve de discernement. Etait-ce une mauvaise nouvelle ? Combien de temps encore serions nous bloquées au Népal ?

J'avais besoin du réconfort d'Anna.

- Tout le monde au Népal vit ces rebondissements. C'est le lieu et l'énergie de ce pays qui permettent cela. Même si tu dépends de l'ambassade, ici tu es au Népal. Dis-moi, as-tu entendu parlé de Lalji ?

- Non je ne crois pas, qui est-ce ?

- Lalji est un analyste de la main très connu à Katmandu. Il y a même des Américains et des Japonais qui font le voyage juste pour venir le voir.

Anna s'est levée, elle est allée chercher une publicité de Lalji qui était agrafée sur un panneau d'affichage à l'entrée de la pizzeria.

- Demain, si tu es d'accord, tu iras voir cet homme et tu prendras rendez-vous pour dimanche. Nous garderons Nishu parce que l'entretien est long. Il dure entre trois et quatre heures. Lalji va t'aider, je le connais, c'est un homme en qui l'on peut avoir confiance. Le jour du rendez-vous, tu sonneras à sa porte à onze heures cinquante très précise. Si tu as cinq minutes de retard, il ne te recevra pas. Je ne comprends pas pourquoi je ne t'ai pas parlé de Lalji plus tôt.

- Peut-être parce que, tout simplement, ce n'était pas le bon moment.

Nishu s'est endormie tard. Ne me sentant pas bien du tout, je suis allée dans la salle de bain pour me rafraîchir le visage. Brusquement, j'ai ressenti une violente douleur à la gorge, j'avais envie de hurler tellement j'avais mal. J'ai longuement pleuré, assise sur le sol derrière la porte de la salle de bain. Chaque fois que je pensais à une éventuelle séparation avec ma fille, tout mon corps se mettait à trembler. Je ne pourrai jamais survivre sans Nishu. J'étais de nouveau plongée dans un trou noir où je ne voyais aucune issue possible. J'avais besoin d'aide, mais qui pouvait me réconforter à vingt-trois heures à Katmandu ? Je me suis calmée doucement, j'ai fermé mes paupières et j'ai essayé d'entendre la voix de mon cœur. Si je percevais juste une seule phrase, après je me sentirais mieux. Et ma petite voix a parlé : accepte que le retour ne soit pas encore décidé. Depuis plusieurs mois, je me sentais prise en otage, tout d'abord par le gouvernement népalais et, maintenant, c'était la France qui prenait le relais. Cela prouvait bien que le blocage ne venait pas que du Népal mais d'une autre énergie qui s'acharnait sur moi pour m'apprendre des leçons de vie.

Là, j'ai senti l'urgence de la situation, je devais basculer dans ma compréhension et, surtout, lâcher prise sur ce retour. Je ne pouvais pas tout contrôler et, encore moins, tout décider. Je l'expérimentais chaque jour depuis trois mois. Dans cette réflexion nocturne, j'ai eu le sentiment d'avoir fait un grand pas, quelque chose en moi avait cédé et, surtout, reconnu l'existence de l'autorité. J'ai lâché prise face au contrôle.

Je me suis endormie en demandant d'être éclairée par un rêve, et il est venu. J'étais avec Nishu sur mon lieu de travail. On se donnait la main et nous survolions un monde qui m'était devenu totalement étranger, d'ailleurs personne ne nous voyait. Lorsque j'ai voulu m'approcher d'une femme qui portait un enfant dans ses bras, elle a reculé et m'a demandé de partir, je n'avais rien à faire dans cet endroit. Ensuite, j'ai croisé la secrétaire et, lorsque je lui ai parlé, elle m'a fait comprendre que je devais m'en aller. Alors avec ma fille, nous avons quitté les lieux.

À mon réveil, le rêve s'est reconstitué, tous les personnages me demandaient de quitter mon lieu de travail. Ce n'était donc pas encore le moment du retour, mon histoire avec le Népal n'était pas encore terminée.

En fin de matinée, je me suis rendue chez Lalji. Une femme m'a reçue, nous avons consulté sa planification et j'ai pu obtenir un rendez-vous pour le lendemain.

Nous avons déjeuné à la pizzeria en compagnie d'Anna. Depuis l'appel de l'ambassade où j'avais été très déstabilisée, Nishu se sentait en insécurité et ne me quittait plus des yeux. La présence d'Anna nous apportait à toutes les deux l'équilibre et les repères dont nous avions besoin. Nous avons passé le reste de la journée à discuter en mangeant de délicieuses glaces.

Après être rentrées à l'hôtel en fin d'après-midi, nous avons eu la visite de Marc et de son petit garçon âgé d'environ quinze mois. Il démarrait sa procédure d'adoption et l'ambassade lui avait donné mes coordonnées. Marc était un peu affolé parce qu'il pensait boucler son adoption en huit ou dix jours et il se rendait compte qu'il n'y arriverait jamais.

Le dimanche 22 février

C'est le jour de mon rendez-vous avec Lalji. J'ai confié Nishu à Anna et j'ai marché dans les rues de Thamel pour me détendre avant l'entretien.

À onze heures cinquante, je sonnais à sa porte, c'est lui qui a ouvert.

- Namaste, me dit-il en s'inclinant.

- Namaste.

Lalji m'a invitée à le suivre dans une petite pièce. Sur une table, il y avait un gros rouleau, il l'a enduit d'encre, l'a passé sur la paume de ma main droite et entre mes doigts, sans oublier les côtés intérieur et extérieur. Puis, il a pris les empreintes de cette main : doigts serrés, doigts écartés, champ intérieur du pouce ainsi que l'extérieur. Ma main droite était tendue, il a dû recommencer plusieurs fois le passage de l'encre, l'empreinte n'étant pas assez nette. La main gauche était plus souple, ce fut plus rapide.

Lorsqu'il a été satisfait du résultat, j'ai pu me laver les mains et il m'a demandé d'entrer dans son bureau. Je me suis assise en face de lui, il a coupé le téléphone et baissé le store.

- Maintenant, vous ne parlez plus, c'est moi qui vais le faire. Vous êtes ici juste pour écouter. La feuille révèle l'arbre, la pierre révèle la terre. C'est pourquoi les mains révèlent ce que vous êtes. Dès que je ferme les yeux pour une meilleure concentration, je suis un artiste peignant votre tempérament et votre vie avec des mots.

Durant presque une heure, en silence, il a pris mes mains entre les siennes, les a observées et ressenties les yeux fermés. Chaque doigt, chaque écartement a été minutieusement examiné.

Le passage

C'était impressionnant de voir avec quelle profondeur il travaillait. Ensuite, il a consulté les feuilles où j'avais déposé mes empreintes et a vérifié certaines lignes sur ma main. Puis, il a branché son magnétophone, a fermé ses yeux et, pendant une demi-heure, cet homme m'a définie dans la plus grande et plus respectueuse neutralité. Plus il parlait, plus je me détendais. L'énergie de la pièce était très belle et elle amplifiait la puissance de ses mots. Il s'est interrompu pour faire une pause et, de nouveau, il a repris les feuilles où j'avais déposé mes empreintes. À l'aide d'un rapporteur et d'une règle, il a effectué de nombreux calculs. De temps en temps, il reprenait mes mains dans les siennes ou bien contrôlait une autre fois l'expression intérieure de ma main droite ou gauche. Le contenu de ses paroles avait une forte résonance avec ma vie et ce que j'étais au plus profond de mon âme. Cette rencontre était un cadeau ; Lalji me recentrait sur mon chemin à un niveau de compréhension que jamais je n'aurais espéré rencontrer.

À la fin de la séance, il a ouvert ses yeux et a pris une dernière fois mes mains dans les siennes pour me transmettre ses dernières recommandations.

Votre sensibilité est extrême, la méditation vous aidera à préserver votre équilibre intérieur et à avancer sur votre chemin. N'oubliez pas que les enfants vous guident dans cette vie et qu'ils sont la clé de votre évolution spirituelle.

Nous avions passé trois heures ensemble, je l'ai remercié de m'avoir fait partager sa richesse intérieure.

En sortant de chez lui, j'étais sur un nuage, toute l'énergie que j'avais reçue durant la séance éclairait ma vie. Comment qualifier Lalji ? Un sage, un homme hors du commun.

À l'expression de mon visage, Anna a tout de suite su que Lalji m'avait aidée. J'étais détendue et confiante. Au sujet de mon adoption, il m'avait simplement affirmé que rien ne s'opposait à ce qu'elle aboutisse, sauf ma pensée. Mes peurs étaient profondes, mon manque de confiance aussi. Il m'avait dit :

- Autorisez-vous à devenir mère et vous inverserez le processus dans lequel vous vous êtes cloisonnée. Vous vivez un passage initiatique qui n'a pour seul but : vous faire grandir.

Tout ce qu'il m'avait révélé correspondait parfaitement avec mon travail intérieur. En méditation, mon guide me tenait le même discours depuis des mois, c'est certainement ce qui m'a le plus rassurée et impressionnée. J'avais conscience que cet entretien ne faisait que me renvoyer à moi-même, mais j'avais réellement besoin de l'entendre de manière plus terrestre.

Nishu était très excitée et ne tenait plus en place, nous sommes vite rentrées à l'hôtel pour qu'elle retrouve ses repères. La séparation avait été courte mais elle avait suffit à la déstabiliser.

Le lundi 23 février

Lalji m'a beaucoup aidée et je puise encore des forces dans cette journée pour vivre et poursuivre mon chemin. Je prends conscience que mes états d'âme ne sont pas seulement liés à l'attente ou bien à l'adoption, il y a autre chose qui pleure en moi. Dans les moments les plus difficiles, je me sens enveloppée par une vague qui me plaque au sol. Les remontées intérieures qui suivent sont très sombres, je ne peux plus voir devant, je suis emportée dans un tourbillon de pensées noires et dans l'incapacité d'émettre une pensée positive. Aujourd'hui, j'ai encore des images d'emprisonnement qui s'imposent en moi, elles m'oppressent et les peurs que je ressens sont terribles. L'énergie de ce pays me met vraiment dans des états de pensées que je n'arrive pas à gérer. J'ai toujours du mal à méditer, je suis contrainte de vivre sous la puissance de cette force extérieure qui ne me laisse aucun droit à l'erreur et avec qui je suis obligée de m'incliner en permanence. Je suis à l'école de l'humilité et mon ego souffre chaque jour un peu plus de ces nouvelles conditions de vie. Il avait l'habitude de décider mais là, c'est fini, il a trouvé beaucoup plus fort que lui.

Le mardi 24 février

La pluie est au rendez-vous ; depuis Noël, nous avions l'habitude de retrouver chaque jour un beau ciel bleu. Le directeur de l'hôtel m'a dit qu'elle annonçait le début de la chaleur.

Nous avons passé la journée avec Anna et Christine, une de ses amies d'origine Canadienne. En fin d'après-midi, nous avons pris un taxi pour nous rendre chez Suzan et Kevin, ils nous attendaient pour le dîner.

Suzan nous a montré les boucles d'oreilles que portait Kathy depuis quelques jours.

- Je les avais achetées il y a sept ans en les destinant à l'enfant que j'adopterais, me confia Suzan.

Le passage

- C'est incroyable ! Il y a cinq ans, lors d'un voyage en Indonésie, je n'avais pas pu m'empêcher d'acheter un mobile composé de poissons pour la petite fille que j'adopterais.

Suzan a souri et l'air songeuse, me dit :

- Cela fait beaucoup de coïncidences, tu ne trouves pas ?

- Qui peut encore penser que le hasard existe, lui ai-je répondu.

- Le hasard n'existe pas, nous en avons la preuve chaque jour. Notre rencontre n'est pas un hasard, nos filles font partie de notre chemin et mon histoire t'aide à mieux comprendre ce que tu vis, et vice versa. L'enseignement de la vie est autour de nous et, en ouvrant notre cœur, il est inutile d'aller chercher bien loin les réponses à nos questions.

Le mercredi 25 février

Il pleut encore. Nous sommes restées à l'hôtel une grande partie de la journée, je n'ai aucune nouvelle de l'ambassade et cette attente me ronge. Je suis nerveuse et j'ai du mal à tenir en place.

Marc est passé nous voir en fin de journée et nous sommes allés dîner ensemble pour nous remonter le moral. Il est tendu, pour le moment il n'a que deux signatures, il lui en manque trois pour avoir le jugement définitif.

- Comment fais-tu pour tenir depuis trois mois, me demanda-t-il ?

- La réponse est simple : l'amour de ma fille !

Le jeudi 26 février

Le long silence de l'ambassade devient insupportable. Heureusement, le soleil est revenu sur Katmandu, nous avons passé une partie de la journée sur la terrasse. Je suis allongée sur une chaise longue et je cherche des réponses sur ma vie dans le ciel. J'ai choisi un grand et bel oiseau et je me suis laissée guider. Il vole très haut en dessinant des cercles puis, brusquement, il plonge vers la ville et remonte de nouveau mais plus haut…, et il tourne encore et encore. Les Australiennes m'avaient dit que c'étaient des aigles, mais je n'en étais pas sûre.

Nishu

Aujourd'hui, c'est la fête hindoue de Civa Ratri, qui correspond à la nouvelle lune de fin février début mars. Suzan m'a proposé de l'accompagner à Pashupatinath où de nombreux saddhus - hommes recouverts de cendre vivant en ascètes, en marge du monde - se réunissent. J'étais trop fragile et j'ai eu peur de ne pas pouvoir supporter la foule.

Ne voulant pas passer le week-end sans nouvelles de l'ambassade, j'ai décidé d'appeler Mme Pioli.

- Je n'ai pas reçu de fax et je n'ai eu aucun appel de Paris. Rappelez-moi vers dix-sept heures, je vais essayer de les joindre dans l'après-midi.

Pour combler l'attente, nous avons déjeuné au club américain et nous sommes rentrées à l'hôtel à l'heure du goûter.

Qu'allait-on me demander cette fois pour tester mon endurance ? J'avais le profond sentiment d'avoir été au bout de moi-même, je n'avais plus de réserve. J'avais tout donné. Peut-être y avait-il encore un espace, une pensée que j'avais préservée ? Non, je ne crois pas. Je désirais de toute mon âme que cet apprentissage s'arrête pour que je puisse le comprendre. Jamais je n'aurais pu imaginer que ce deuxième voyage soit dans la continuité du premier. Je me retrouvais nue et je n'avais plus de défense pour me protéger. Mon corps avait du mal à se mouvoir, il avait peur d'avancer et d'aller à la rencontre de la vie. Je comprenais aussi que toutes les larmes que j'avais versées étaient des émotions refoulées que j'évacuais. J'avais tellement mis de protections en place dans ma vie qu'elles étaient presque devenues des armures. Le Népal s'est chargé de les faire tomber une à une et, lorsqu'elles se sont séparées de moi, la douleur fut si intense que tout mon corps a été envahi de secousses et de tremblements. À chaque passage, je me suis noyée, replongeant dans les peurs. Maintenant, je m'approchais d'une grande porte d'où j'entrevoyais de la lumière, j'avais grandi et je me sentais mûre pour avancer plus loin sur ce chemin.

Avant le Népal, j'étais comme un animal la tête baissée prête à attaquer. Aujourd'hui, je me tiens droite et je marche doucement. Tout est nouveau pour moi, je ne sais pas encore que ce que je considère comme une fragilité intérieure va devenir une force et un équilibre.

Le passage

J'ai regardé ma montre, il était dix-sept heures. J'ai décroché le combiné et, en tremblant, j'ai demandé à la réception de me passer l'ambassade.

L'attachée du Consul attendait mon appel.

- J'ai eu Paris il y a un peu plus d'une heure. Le ministère a décidé de vous accorder la dérogation pour le visa de Nishu. Le service des visas de Nantes attend une confirmation écrite de cet accord et, dès qu'ils l'auront reçue, vous pourrez quitter le Népal avec votre fille.

- Alors, ils ont dit oui, c'est sûr ?

- Oui, ne soyez plus inquiète, ce n'est plus qu'une question de jours. La personne qui s'est occupée de votre dossier a convaincu le ministère de l'Intérieur. L'histoire de votre fille a interpellé beaucoup de monde, de nombreuses personnes se sont senties concernées et ont voulu aider Nishu.

Des larmes de joie et de bonheur coulaient sur mes joues. Nishu applaudissait avec ses petites mains, elle était si heureuse d'apprendre que, cette fois, elle repartirait avec sa maman.

Je n'ai pas pu dormir de la nuit. J'ai vu défiler devant moi des images qui s'enchaînaient les unes aux autres comme un film dont l'histoire avait été écrite il y a si longtemps.

Tout avait commencé par ce rêve de novembre 1993, il était la clé du grand changement de ma vie. En mars 1994, mon premier voyage au Népal allait déclencher en moi une ouverture insoupçonnée avec la rencontre de Tej à une dizaine de kilomètres du village où allait naître Nishu deux mois plus tard. Les visites de ma fille dans mes rêves me préparaient à mon futur, elle me réveillait. Et puis, j'ai revu aussi cette mystérieuse énergie angélique qui tenait la main d'une petite fille de trois ans, Nishu, en route pour venir vers moi. Elle était portée par la lumière. À cela s'ajoutait l'extraordinaire coïncidence où le 2 juillet 1996, lors d'un rêve éveillé, la mère de Nishu me confiait sa fille alors que, quelques jours auparavant, elle venait de la quitter dans la réalité. J'avais retrouvé Nishu à moins de trois cents mètres de la maison de Tej. La rencontre avec ma fille m'avait amenée vers Laxmi, l'aboutissement d'une longue recherche intérieure, celle de toute une vie.

C'était plus fort que moi, je ne pouvais pas m'empêcher de faire le lien entre les événements pour comprendre ma vie et la vie. La lumière éclairait à nouveau mon chemin, tous les freins s'étaient levés pour faire place à une nouvelle amie, la confiance. Je ne l'avais jamais connue sous cet angle, elle est venue à moi vêtue d'un habit de lumière et, me sentant rassurée, je lui ai ouvert tout grand la porte de mon cœur.

Le dimanche 1 mars

Suzan et Steven sont venus nous prendre à l'hôtel, nous nous sommes tous rendus au Stupa de Bodhnath où, depuis deux jours, on célébrait le Nouvel An tibétain. À chaque fois que je m'étais rendue à Bodhnath, j'avais été très impressionnée par la puissance de l'énergie qui se dégageait du Stûpa, un monument représentant les quatre éléments : la terre, le feu, l'air, et l'eau. Suzan m'avait prévenue que les différentes ethnies tibétaines seraient présentes. Elles étaient venues du Népal, du Tibet, de l'Inde et du Sikkim, chacune se distinguant par son costume traditionnel. Lorsque nous avons pu accéder à la base du dôme blanc, nous nous sommes mêlés à ce grand rassemblement.

Le souffle des trompes de cuivre ponctuait les prières des lamas et des centaines de petits drapeaux multicolores flottaient au vent. La lumière était encore plus belle que d'habitude, j'étais tellement émue que tout mon corps frissonnait malgré la chaleur. Nishu était dans mes bras, j'imprimais en moi tout ce que je voyais et entendais, les odeurs d'encens reliaient notre présence à l'énergie de ce lieu. À la fin de la cérémonie, de nombreuses personnes ont jeté en l'air des poignées de tsampa - graines d'orge et de millet moulues. C'est alors qu'un lama s'est dirigé vers Nishu. Après s'être incliné, il lui a pris la main et a récité des prières ; ensuite, il l'a bénie puis il est reparti. Cette scène m'a laissé songeuse. Je n'ai pas tout de suite compris ce qui venait de se passer même si je ressentais bien son importance. Nous étions trois adultes accompagnés de trois enfants et elle a été la seule à recevoir une bénédiction.

Le dôme blanc nous renvoyait une telle chaleur qu'elle devenait presque insupportable. Après que l'on se soit souhaité « Tashi delek » - la bonne année tibétaine -, nous avons quitté Bodhnath pour aller déjeuner sur Katmandu. Steven nous a fait découvrir un petit restaurant situé dans un endroit très calme, au milieu de petites échoppes artisanales. Après le repas, nous avons visité l'artisanat local. On est entré dans une petite pièce où quatre femmes fabriquaient à la main des figurines en métal doré, elles étaient destinées à la décoration de nos sapins de Noël occidentaux. L'une d'elles s'est levée et s'est avancée vers Nishu pour lui offrir un petit ange.

En regagnant la voiture, Suzan pensive me dit :

- Nishu a reçu deux cadeaux aujourd'hui. Ce soir, tu vas pouvoir méditer sur ce sujet parce qu'il y a certainement une explication.

- Oui, tu as raison, c'est assez étrange.

- Est-ce que tu as remarqué que lorsque le lama s'est dirigé vers elle, il ne nous a pas regardés. C'était comme si nous n'avions pas été là et, tout à l'heure, la femme Népalaise a fait la même chose.

Lorsque Nishu a été endormie, j'ai pu enfin méditer. J'ai fermé les yeux, observé ma respiration et je me suis laissée glisser en elle, sans modifier son rythme. Lorsque j'ai eu atteint le point d'équilibre, la réponse est arrivée. Le Népal avait dit aujourd'hui au revoir à ma fille par ses différentes énergies. Le lama représentait l'énergie bouddhiste et la femme Népalaise, l'énergie hindoue. La troisième énergie symbolisée par l'ange était celle qui allait bientôt accueillir Nishu. Ce que je percevais très clairement, c'est que Nishu portait en elle ces trois énergies, elles étaient le fil de sa vie. Cette méditation m'a remplie de bonheur, j'étais de nouveau comme une petite fille devant la magie de la vie. Nous allions très bientôt quitter le Népal, le moment était venu.

Le lundi 2 mars

À l'heure du déjeuner, nous sommes passées dire bonjour à Krishna.

- Patricia, je viens d'avoir Indira au téléphone. Le ministre de l'Intérieur est actuellement à Delhi, il est allé consulter un médecin pour de petits problèmes de santé. À son retour, il signera la nouvelle loi sur l'adoption et ton dossier sera bientôt débloqué. Est-ce que tu veux attendre ?

- Krishna, je préfère partir. Ma décision est prise. Nous quitterons le Népal dès que j'aurai obtenu le visa de Nishu.

J'avais eu tout le temps durant mon séjour de bien comprendre que le « bientôt » népalais avait plusieurs sens.

Nishu

Dans la soirée, alors que nous dînions chez Anna, j'ai croisé le Consul. Je lui ai fait part de cette dernière information, il était de mon avis, nous devions partir le plus vite possible.

Le mercredi 3 mars

J'ai invité Indira et ses deux filles à déjeuner. Diska et Sadiska avaient envie de manger de la pizza, j'ai donc emmené tout ce petit monde chez Anna pour un repas qui fut bien animé. Nous avons beaucoup parlé avec Indira de la condition des femmes au Népal et des enfants.

- J'ai la chance d'avoir pu faire des études et je connais bien le privilège que donne l'accès à la scolarité. Dans mon travail, j'ai choisi d'être sur le terrain pour mieux comprendre les problèmes des Népalais. Ensuite, je fais remonter les informations à Pramada qui est plus active en politique.

- Où en es-tu dans la création de ton école ?

- En ce moment, je cherche des personnes ou organismes pour parrainer les enfants afin qu'ils prennent en charge leurs frais scolaires. Mon but est d'aider tout particulièrement les filles à pouvoir faire des études. Lorsqu'elles mangeront comme les garçons et qu'elles seront aussi toutes scolarisées, alors nous aurons fait un grand chemin. Au Népal, il n'y a que la femme qui puisse apporter un monde meilleur. Aujourd'hui, elle est encore soumise et écartée des grandes décisions, mais demain les hommes devront partager le pouvoir avec les femmes. J'espère que notre pays sera alors plus juste et moins corrompu.

Lorsque nous nous sommes quittées, j'ai promis à Indira de l'appeler avant mon départ.

Les journées s'écoulaient au rythme du Népal. Nishu passait des heures à dessiner, elle avait une faculté de concentration assez étonnante. Dès que j'ouvrais la valise, elle se précipitait vers moi, s'asseyait à mes côtés et m'observait.

- Nishu, je te promets que nous partirons ensemble et que nous ne serons plus jamais séparées.

Ses yeux noirs m'interrogeaient, elle n'était pas encore tout à fait rassurée. Bien que le jour du retour soit proche, je n'étais pas moi-même détendue, je n'avais plus la force d'intégrer cette nouvelle pensée pour qu'elle puisse me porter vers l'avant. Je vivais mécaniquement, mes repères étaient ma fille, les repas, le linge à laver et les courses. Anna et l'hôtel étaient la base de mon équilibre, je passais de l'un à l'autre sans pouvoir m'y attarder très longtemps. Je ne me situais plus dans le temps, il m'était impossible de me projeter avec ma fille en France. La seule image du futur que j'avais devant moi, c'était celle de me voir monter à bord de l'avion avec Nishu dans mes bras.

Qu'étais-je devenue ? Je ne le savais pas encore.

Le mercredi 4 mars

J'avais demandé à Sharad de venir passer la journée avec nous. Nishu avait bien compris qu'elle ne retournerait plus au village. Etait-ce la raison de ce changement de comportement avec son père ? Lorsqu'il lui parlait, elle répondait en népalais mais, si c'était elle qui lui adressait la parole, elle le faisait en français. Sharad me posait très peu de questions, le plus important pour lui était que sa fille puisse quitter le Népal. Il a été très heureux d'apprendre que le départ était proche. À l'heure du déjeuner, nous sommes tous allés manger un dal bhat dans un petit restaurant dont la clientèle était exclusivement népalaise. Lorsque j'ai vu l'état de la cuisine, j'ai fermé les yeux. La viande décongelait sur un sol plus que douteux et, à chaque passage, le serveur donnait des coups de pied dans les morceaux qui gênaient son passage.

Nous avons passé le reste de l'après-midi dans le jardin de l'hôtel où Nishu a pu jouer avec des enfants. La saison touristique avait débuté et des groupes préparaient avec les sherpas des expéditions dans les montagnes des Himalayas. Lorsque Sharad m'a montré l'heure, j'ai compris qu'il partait prendre son autobus.

Dans la soirée, je suis restée un moment à la réception de l'hôtel avec Nishu, elle regardait un feuilleton indien à la télévision. J'ai discuté avec un Brésilien qui revenait de quinze jours de randonnée, à plus de 4 500 m d'altitude. Il avait besoin de partager son histoire.

- Nous avons dormi sous la tente à une température de moins dix-huit degrés, je n'ai jamais eu aussi froid de ma vie et, plusieurs fois, j'ai cru que j'allais mourir. À la fin de ma randonnée, je ne savais plus qui j'étais et où était ma place. Est-ce que c'était le Brésil ou bien les Himalayas ? Ma vie m'est alors apparue comme une illusion, à la fois si présente et si irréelle.

Nishu

Même si nos histoires étaient différentes, nous avions vécu lui et moi un voyage initiatique qui nous avait obligés à plonger dans notre monde intérieur et à revoir notre compréhension de la vie.

Le vendredi 6 mars

L'avocat m'a retrouvée en milieu de matinée à l'ambassade pour signer la procuration de la procédure d'adoption. Le Consul a émis alors la possibilité d'un retour pour dans deux jours, c'est-à-dire dimanche.

De nouveau, je me suis vue à l'aéroport avec des menottes aux poignets, il ne me restait plus qu'une seule chose à faire, demander de l'aide.

- Est-ce qu'il serait possible que quelqu'un de l'ambassade m'accompagne à l'aéroport pour me faciliter le passage de l'immigration ?

- Bien sûr, m'a répondu le Consul. Psychologiquement et physiquement, vous êtes à bout, je pourrais peut-être y aller moi-même. Puis il réfléchit.

- Non, le mieux est de vous déléguer un Népalais qui travaille à l'ambassade.

J'étais rassurée, Nishu ne se ferait pas refouler à l'aéroport.

- Pouvez-vous être à votre hôtel à partir de quatorze heures, me demanda Mme Pioli ? Je vais contacter Paris en début d'après-midi et, ensuite, je vous appelle.

Après le déjeuner, nous sommes revenues à notre hôtel. C'était une merveilleuse journée de printemps, nous avons pris le thé dans le jardin et, vers quinze heures, un employé de l'hôtel est venu me chercher. On me demandait au téléphone. J'ai couru jusqu'à la réception, j'ai attrapé le combiné et pour être sûre de bien entendre la réponse de Mme Pioli, j'ai bloqué ma respiration.

- Vous foncez à votre agence de voyage et vous réservez deux places pour dimanche ; ensuite, vous passez à l'ambassade pour le visa de Nishu.

C'était fini, on partait. À cet instant, je ne sais plus si j'ai su trouver les mots justes pour remercier Mme Pioli ; j'étais tellement émue que j'avais du mal à m'exprimer. Cette phrase que j'avais imaginée et espérée depuis maintenant quatre mois ne m'avait pas fait l'effet que j'attendais. Elle semblait être suspendue sur un fil au-dessus de moi et j'étais dans l'incapacité de pouvoir la saisir. Mme Pioli était tout aussi troublée que moi, elle s'était tellement investie dans l'histoire de Nishu.

À l'agence de voyage, j'ai eu la surprise de m'entendre dire que le vol de dimanche était complet, nous ne pourrions partir que mercredi. Sur le moment, j'ai été déçue mais, après réflexion, j'ai pensé que finalement, c'était plutôt bien. J'aurais ainsi le temps de dire au revoir à tout le monde.

J'ai rappelé l'ambassade pour les avertir de ce changement. Comme plus rien ne pressait, je m'y rendrais lundi matin pour effectuer les dernières formalités.

Nishu était très excitée. Tant que nous ne serions pas dans l'avion, j'aurais du mal à la calmer, elle avait si peur que je parte une deuxième fois sans elle.

Le samedi 7 mars

Je me suis réveillée avec la nuque bloquée du côté gauche. Il m'a fallu un bon moment pour que l'heureux dénouement de la veille revienne à mon esprit. Lorsque je pensais à mon futur, je ne voyais toujours rien, c'était le néant. Je me suis surprise à presque vouloir retarder ce retour, il me faisait peur.

En fin d'après-midi, Marc est passé nous voir avec son fils. Il avait fini son adoption en un temps record, six semaines. Il quittait le Népal le lendemain matin, sa réservation était faite depuis quinze jours. Nous avons dîné ensemble pour fêter notre retour, il avait invité un couple d'amis Népalais à se joindre à nous. Son attachement à ce pays était aussi fort que le mien, il avait l'intention de s'impliquer davantage en aidant un orphelinat.

Sur le chemin qui nous ramenait à l'hôtel, Nishu s'est mise à hurler dans la rue.

- Maman ! Maman !

Elle avait tellement besoin de se l'entendre dire pour se persuader que ce n'était pas un rêve, mais bien une réalité. J'avais envie de prolonger ces moments, ils étaient devenus si légers après tant de mois de souffrance. J'étais déjà en manque du Népal.

Nishu

Le lundi 9 mars

Le visa de Nishu fut prêt en quelques minutes. Le Consul m'a donné les dernières recommandations pour les démarches à entamer dès notre arrivée en France. Un sherpa nous rejoindrait mercredi matin à l'aéroport et il nous accompagnerait jusqu'à l'embarquement. Le père de Nishu attendrait à l'extérieur que l'avion ait décollé. Les Népalais qui n'ont pas de billet d'avion n'ont pas le droit de pénétrer dans l'enceinte de l'aéroport. Si, au dernier moment, les autorités népalaises avaient besoin de l'accord de Sharad pour que Nishu puisse quitter le pays, il nous serait facile d'aller le chercher. Ensuite, le Consul a fait appeler le sherpa, la rencontre nous permettrait de mieux nous reconnaître à l'aéroport. Nous avons encore échangé quelques mots sur les quatre mois que nous venions de vivre à Katmandu et Nishu a ponctué la fin de cette dernière visite en allant embrasser tout le monde. L'émotion était forte et j'avais du mal à retenir mes larmes.

Nous sommes rentrées directement à l'hôtel, j'avais quelques vêtements à préparer que Tej apporterait à sa mère. Il descendait pour quelques jours au village et j'en avais profité pour acheter un cadeau à Laxmi : un petit gilet que les femmes Népalaises portent avec leur sari lorsque la température est plus fraîche. J'avais bien proposé à Krishna de la faire venir à Katmandu pour quelques jours mais elle vivait le deuil de son beau-père et, durant toute cette période, Laxmi n'était pas autorisée à quitter la maison, seul son mari pouvait le faire. Il y avait encore tant de choses qui échappaient à ma compréhension de ce pays.

Tej s'est fait annoncer à la réception de l'hôtel et nous a rejoint dans la chambre. En rassemblant les sacs qu'il devait emporter, je pensais à Narayani. Je n'avais pas eu de ses nouvelles depuis plusieurs semaines.

- Tej, comment va Narayani ?

- Elle s'est mariée la semaine dernière.

- Mariée! Pourquoi ne m'a-t-elle rien dit ?

- Je pense qu'elle n'a pas osé te prévenir. Mon père lui a trouvé un bon mari, il est instituteur et appartient à la même caste que nous. Elle vit maintenant à trois heures de marche du village avec sa nouvelle famille.

Pauvre Narayani ! Elle a fini par vivre ce qu'elle redoutait le plus, le mariage.

- Es-tu allé à la cérémonie ?

- Non, je n'ai pas pu, j'avais des examens à passer.

- Tu ne connais donc pas son mari ?

- Non

- Embrasse bien toute ta famille de notre part et tu dis aussi à ta maman que, lorsque nous reviendrons au Népal, nous nous reverrons, c'est promis.

Tej est vite reparti. Il prenait l'autobus du soir, son père l'attendait à Tadi Bazar.

Le mardi 10 mars

J'ai passé une partie de la matinée à préparer les valises. Nishu ne m'a pas quittée une seule seconde, son inquiétude grandissait au fur et à mesure que l'armoire de la chambre se vidait. Pour la rassurer, nous avons choisi les vêtements que nous porterions pour notre grand voyage.

Sharad est arrivé vers treize heures, nous avons mangé ensemble le dernier dal bath et, puis, nous avons rejoint Krishna. Il serait lui aussi à l'aéroport le lendemain pour y accueillir un groupe de touristes, il y avait de grande chance que l'on s'y retrouve. Je lui avais préparé un petit dossier avec les coordonnées de l'ambassade ainsi que celles de l'avocat, en espérant que l'adoption puisse se terminer sans moi. Krishna était rassuré de nous voir quitter le Népal, nous resterions en contact comme nous l'avions toujours fait et nous projetions déjà un retour pour dans deux ou trois ans.

Avant de nous quitter, j'ai demandé à Krishna s'il pouvait expliquer à Sharad la manière dont je correspondrais avec lui. J'avais décidé de maintenir les liens avec Sharad jusqu'à ce que Nishu soit en mesure de le faire elle-même et qu'elle puisse choisir de l'avenir de cette relation. Avant cela, je n'avais pas le droit d'effacer de l'existence de ma fille un père, un frère et une sœur. Je ne pouvais pas non plus imaginer rayer le Népal de sa vie, elle avait la chance d'y avoir des racines et mon rôle était de les préserver. Nishu avait vécu presque quatre années au Népal, dont six mois à mes côtés. Le Népal fera toujours partie de notre vie. Une fois en France, je parlerai à Nishu de Shantu, sa mère de vie, et je lui montrerai les photos. Il me paraissait si naturel de la réintégrer au plus vite dans la vie de Nishu en lui expliquant les raisons pour lesquelles elle avait été contrainte de partir. Je me voyais mal dix ans plus tard révéler à ma fille l'existence d'une mère qu'elle pensait morte. Shantu avait donné la vie à Nishu, j'étais la continuité de son amour.

Anna nous avait invitées pour le goûter. Nishu scrutait le ciel pour voir si les avions passaient toujours au-dessus de nous. Je parlais peu, Anna comprenait mes silences, cette dernière journée était douloureuse.

- Tu as besoin de rentrer en France pour ta fille et pour toi, vous allez construire les bases d'une nouvelle vie et, ensuite, vous pourrez revenir.

- Je sais, mais il y a quelque chose de tellement fort qui me retient ici. Je vis ce départ comme un arrachement, ce pays est vraiment mystérieux.

J'ai regardé l'heure.

- On va partir, j'ai rendez-vous avec Sharad. Nous passons un moment avec lui et nous reviendrons pour le dîner.

Je ne savais pas pourquoi j'avais organisé cette rencontre, Sharad n'est pas resté très longtemps avec nous, il est parti rejoindre son ami.

De retour à la pizzeria, nous avons eu du mal à trouver une table. Lorsqu'elle nous a aperçues, Anna s'est avancée vers moi et m'a chuchoté à l'oreille :

- Ce soir, nous avons le Prince du Népal qui vient dîner.

Elle m'a désigné une table.

- Celle-ci sera très bien, installez-vous. Je t'expliquerai ce qui se passe dans un moment.

Elle est repartie pour réapparaître avec un homme qui a regardé d'une manière furtive notre table et, puis, il a disparu.

- Qui est-ce Anna ?

- C'est un des gardes du corps, il est venu voir si tout allait bien. Il a réservé la table juste devant la tienne.

Une dizaine de minutes plus tard, le Prince est arrivé accompagné de ses deux gardes du corps et d'un ami. Si je n'avais pas su qui il était, je ne l'aurais pas reconnu. Vers vingt et une heure, le restaurant s'est vidé, le Prince avait quitté les lieux depuis un grand moment. Anna est venue s'asseoir avec moi, nous avons parlé de mon arrivée en France et de Nishu.

- En France, tu trouveras l'aide nécessaire pour ta fille, ne t'inquiète pas. Tu as besoin de repos, l'énergie népalaise t'a suffisamment fait travailler durant ces quatre mois.

- Je ne vois pas devant moi, c'est comme si j'avais un voile devant les yeux.

- Le Népal t'a appris à vivre les événements au fur et à mesure qu'ils se présentent à toi ; pour cela, tu as été bien entraînée. Laisse faire les choses.

Nishu commençait à se frotter les yeux. Je ne pouvais pas repousser plus longtemps le moment de la séparation, je quittais le Népal en larmes. Durant ces quatre mois, Anna m'avait soutenue et portée. Je me sentais orpheline à l'idée de ne plus l'avoir à mes côtés. Maintenant, je devais reprendre ma vie en main et guider à mon tour ma fille.

En remontant la rue qui nous menait à l'hôtel, Nishu me dit :

- Pourquoi pleures-tu maman, les papiers sont finis ? Pourquoi es-tu triste ?

Elle avait raison, mais ça coulait tout seul. Cette même rue où j'avais tant pesté, je l'ai regardée dans les moindres détails pour ne jamais l'oublier. En couchant Nishu, je lui ai expliqué que c'était notre dernière nuit au Népal et que le lendemain, on se lèverait très tôt. Nous dirions au revoir à son papa et à son pays, ensuite, nous ferions un long voyage en avion pour aller à la rencontre de sa nouvelle vie. Lorsqu'elle fut endormie, j'ai rangé les dernières affaires et je me suis assise devant la fenêtre comme je l'avais fait de si nombreuses fois. Une page de ma vie se tournait, je me suis glissée sous les couvertures et je me suis blottie contre Nishu.

Le mercredi 11 mars

À six heures, Sharad était à la réception de l'hôtel et une demi-heure plus tard, le taxi nous déposait à l'aéroport. Dès que j'ai eu rangé les bagages sur le chariot, Nishu a embrassé son père et n'a plus quitté les valises. Elle était déjà partie. J'ai dit au revoir à Sharad et Nishu m'a suivie, elle ne s'est pas retournée pour faire un petit signe de la main à son père. Ce fut un moment difficile où elle avait choisi de regarder devant elle pour abandonner une vie qui n'était déjà plus la sienne. Sa décision était ferme. Pour Sharad, ce fut certainement aussi très douloureux même s'il avait voulu qu'il en soit ainsi. Nos chemins de vie respectifs s'engageaient à cet instant vers une nouvelle destinée.

Après avoir payé la taxe d'aéroport, nous avons rejoint les autres passagers qui attendaient l'enregistrement de leurs bagages. Je cherchais des yeux le sherpa et je ne l'apercevais nulle part. Au moment où j'ai présenté nos billets d'avion au guichet, il est arrivé et nous a pris en charge. À partir de là, tout s'est déroulé très vite. Nous avons passé l'immigration ainsi que tous les autres contrôles en moins de dix minutes ; nous nous sommes retrouvées à l'embarquement en un temps record. Plus rien ne pouvait nous arriver. Juste avant de monter à bord de l'avion, je me suis retournée en haut de la passerelle une dernière fois pour dire au revoir au Népal. Nishu quant à elle, s'était précipitée vers l'agent de bord pour lui montrer son sac à dos.

Durant vingt-quatre heures, Nishu n'a pas fermé l'œil, elle me serrait la main pour chaque décollage et atterrissage et a vécu ce voyage avec beaucoup d'intensité. Ma pensée demeurait en transit, plus près du Népal que de la France. De toute évidence, Nishu allait plus vite que moi. C'est d'ailleurs elle qui a vu la première ses grands-parents venus nous accueillir à l'aéroport. Nishu a rejoint sa nouvelle vie comme si c'était la chose la plus naturelle au monde.

Chapitre 4

L'aboutissement

Dans les semaines qui ont suivi notre retour en mars 1998, l'entreprise dans laquelle je travaillais depuis dix-sept ans a été vendue. Je me suis donc retrouvée sans emploi, par choix, ne voulant pas rejoindre une forme de vie qui ne pouvait plus être la mienne. Ma vie affective qui avait été jusque-là sous le règne de l'indépendance et de la liberté amorçait elle aussi un nouveau virage. Décidément Nishu était vraiment le moteur du changement. Les premiers mois furent particulièrement difficiles, j'étais encore sous le choc de mon séjour à Katmandu et Nishu était totalement déstabilisée par son changement d'univers. Cela se manifestait par des cauchemars presque toutes les nuits et une peur viscérale que je l'abandonne. Le pédiatre m'avait très sagement conseillée :

- Allez où vous voulez durant la journée mais, pour cette première année, dormez toutes les nuits chez vous.

L'urgence, c'était elle. Étant dans l'incapacité psychologique de reprendre une quelconque activité professionnelle, je me suis laissée glisser dans mon rôle de mère.

Je ne pouvais déléguer à personne la sortie de l'école, c'était ma place et je voulais vivre à ses côtés les premiers moments de sa nouvelle vie. Comme nous venions de passer près de cinq mois, vingt-quatre heures sur vingt-quatre presque collées l'une à l'autre, l'école a permis une douce séparation. Comme à Katmandu, Nishu était durant la journée une petite fille pleine de joie et de lumière, s'intéressant à tout ce qu'elle découvrait. Les nuits la ramenait à son passé rempli de peurs. Son père lui manquait le jour et la terrifiait la nuit. À la maison, nous vivions dans une ambiance très indienne, elle écoutait presque tous les jours des chansons du Sud du Népal et, souvent, elle ornait son front d'une tika[9]. J'avais choisi de la laisser aller et venir à son gré entre ses deux pays et cultures. Mon entourage était quelques fois un peu inquiet de la voir si déterminée dans cette relation qu'elle entretenait avec le Népal, mais ma petite voix intérieure me disait de ne rien brusquer.

---

9 Tika : Poudre de vermillon que les hindous appliquent sur leur front, entre les yeux, symbole de la présence du divin en soi.

Nishu

Le 28 avril 1998, la nouvelle loi sur l'adoption a été votée au Népal. L'ambassade de France a obtenu le jugement définitif du ministère de l'Intérieur népalais le 20 mai, ce qui m'a permis de pouvoir démarrer une demande d'adoption plénière auprès du tribunal d'instance.

Lorsqu'en septembre j'ai reçu une convocation du substitut du procureur, j'ai été très étonnée, je n'en voyais pas l'utilité. J'ai eu la naïveté de penser que ce n'était qu'une simple régularisation administrative. Je me suis vite rendu compte que je n'étais pas au bout de mes surprises ! Aux dires du substitut, le jugement d'adoption du Népal n'avait aucune valeur ! Mais ceci n'était encore rien à côté de ce que j'allais entendre lors de ce rendez-vous.

La première question m'a laissé sans voix.

- Combien avez-vous payé pour l'adoption de votre fille ?

Pendant plus de vingt minutes, le substitut a cherché la faille et m'a tendu des pièges. Ensuite, elle m'a demandé de lui raconter dans les détails, l'histoire de Nishu. Et sa conclusion fut :

- Mais alors, votre fille est une sans domicile fixe ?

Durant quelques secondes, j'ai été partagé entre la colère et l'envie d'éclater de rire. Que lui répondre ? Que soixante-dix pour cent des Népalais vivent en dessous du seuil de pauvreté et qu'ils peuvent tous être considérés comme des sans domicile fixe ! À la fin de cet interrogatoire, elle m'a demandé de lui remettre avant le jugement une expertise psychologique de Nishu ainsi que divers examens médicaux. Je suis ressortie cassée et démoralisée. En arrivant en France, j'avais pensé que le pire était derrière moi, je devais me rendre à l'évidence que mon adoption était loin d'être terminée.

Après quatre convocations chez le substitut, on m'a demandé de me rendre au tribunal d'instance devant un conseil de magistrats composé de sept femmes. J'ai répété pour l'énième fois l'histoire de Nishu en insistant sur l'importance de l'adoption plénière. Ma fille me demandait tous les jours de porter le même nom de sa maman. Quoi de plus naturel lorsque l'on a quatre ans ! Je lui répondais que, malheureusement, ce n'était pas moi qui pouvais le décider. Elle avait besoin d'être sécurisée et protégée, et le système judiciaire ne nous apportait que doutes et suspicion. J'ai tenté de les interpeller en leur soulignant le fait que cette décision devait être prise dans l'intérêt de l'enfant puisque Nishu exprimait très clairement son désir d'être Française et de porter le nom de sa mère.

Il est parfois nécessaire de rappeler que l'enfant a une parole et qu'il doit à ce titre être entendu.

À la demande du procureur, j'ai cherché un pédopsychiatre pour qu'il établisse une expertise psychologique de Nishu, suite aux traumatismes qu'elle avait vécus.

Le seul qui ait pu nous prendre dans l'urgence était un homme. Est-ce la raison pour laquelle Nishu n'a jamais voulu s'exprimer durant les séances hebdomadaires ? Je relatais son quotidien et les cauchemars qu'elle faisait. Pendant ce temps, Nishu jouait avec des cubes dans un coin du bureau et n'intervenait que si elle n'était pas d'accord avec ce que je disais. Elle m'avait confié ce rôle et me faisait confiance. À maintes reprises, je me suis demandée quel pouvait être l'intérêt de ce genre de thérapie. Au bout de huit mois, je me suis rendu compte que j'avais pris finalement énormément de recul face aux violences sexuelles qu'elle avait subies. Je pouvais en parler sans émotion et je pense que c'est ce qui a le plus aidé Nishu. Ce n'était pas vraiment la thérapie idéale mais ça m'a permis de comprendre que je devais absolument trouver une autre solution pour résoudre ses problèmes de cauchemars. Je ne pouvais pas lui donner toute sa vie des granules homéopathique ou du sirop qui n'apportaient pas de résultats. C'est ainsi que quelques semaines plus tard, une personne m'a mise en contact avec un chiropraticien. En quatre séances, les cauchemars ont totalement disparu et la thérapeute a pu aussi localiser l'origine de ses troubles : le déracinement et, bien sûr, ses abus sexuels.

Tout doucement, sans trop nous en rendre compte, nous avancions ; enfin, nous avions des nuits complètes. Chaque soir à l'heure du coucher, je m'asseyais au bord de son lit et j'écoutais ses confidences ; je lui parlais, la rassurait jusqu'à ce qu'elle s'endorme apaisée. Dans ces grands moments de tendresse, j'avais avec Nishu des discussions très profondes. Un soir, elle m'a même demandé si j'avais dû payer pour l'adopter. Là je me suis rendu compte de l'importance d'être clair avec soi-même. L'enfant finit toujours, par l'entremise de ses questions, à nous confronter à notre conscience. Il n'y a pas eu un seul sujet que Nishu n'ait abordé. Celui qui la préoccupait le plus était Shantu, sa mère de vie. Les questions la concernant étaient bouleversantes et me montraient à quel point sa douleur était présente.

Nishu

M'a-t-elle aimée ? M'a-t-elle portée sur son dos ? Est-ce que tu pourras m'aider à la retrouver ? Elle était très inquiète pour elle, se demandant où elle vivait, si elle était seule. Elle a voulu connaître tous les détails et les circonstances du départ de Shantu. Je ne lui ai rien caché sachant que, tôt ou tard, elle reviendrait sur le sujet si je ne lui disais pas tout.

À propos de son père, ce fut plus délicat ; Nishu était partagée entre un amour profond et une grande incompréhension sur ce qu'il lui avait fait. Un jour, elle m'a dit :

- Si j'avais été un garçon, il ne m'aurait pas fait de mal.

Cette réflexion montre bien avec quelle maturité Nishu faisait son analyse, j'étais souvent déconcertée par ses propos si justes et si lucides. Au tout début de son arrivée en France, elle avait eu très peur qu'il puisse venir dans sa maison. Lorsqu'elle a eu compris que cela n'était plus possible, elle fut rassurée. Malgré tout, le manque de ce père était bien présent et je devais être très prudente dans nos discussions de ne jamais le juger ; Nishu ne l'aurait pas accepté. La seule remarque que je m'autorisais à faire était de lui rappeler que ce qu'il lui avait fait n'était pas bien, qu'un papa, ou n'importe qui d'autre, n'avait pas le droit de faire du mal à un enfant. Dans ce genre de discours, Nishu acquiesçait. Elle avait besoin de l'entendre et, surtout, que je lui rappelle qu'elle n'était pas responsable. À son arrivée en France, elle n'a jamais permis à un homme de l'approcher de trop près pendant plusieurs mois. Le rôle de Baptiste, mon compagnon, fut d'une importance capitale : tout doucement, il a permis à Nishu de se réconcilier dans sa relation avec les hommes en respectant son rythme.

Le premier jugement fut prononcé en mars 1999. L'adoption plénière a été rejetée pour les motifs suivants : la demande de l'adoption plénière n'est possible que si les deux parents biologiques consentent à l'adoption. De plus, le mot « plénière » n'apparaissait nulle part dans le jugement d'adoption népalais.

Personne n'avait entendu Nishu. Il n'était pas question que j'en reste là, j'ai pris un avocat et j'ai fait appel. J'ai reconstruit tout un dossier en demandant, au père de ma fille, une lettre du district confirmant que sa femme n'avait pas regagné le domicile conjugal depuis juin 1996.

L'aboutissement

Dans une communication de procédure, le Procureur général a fait les conclusions suivantes : il n'est pas possible d'envisager une adoption pour un enfant dont l'identité et la situation de la mère sont cachées.

Dans un autre courrier, le parquet général a qualifié d'éventuelle maltraitance les faits subis par Nishu, alors qu'ils avaient été constatés par divers médecins et que cela n'avait jamais été remis en question lors de la procédure en première instance, ni par le ministère Public.

Mon avocat m'a appelée début décembre pour me demander de trouver des témoignages auprès des médecins qui avaient entendu ou examiné Nishu en France. Au cours de ce même mois, il y a eu deux émissions télévisées sur les enfants du Népal. Je les ai enregistrées et j'ai joint la cassette à mon dossier qui devait être déposé au parquet général avant le 21 décembre 1999. J'espérais qu'en les visionnant, la justice serait plus à même de comprendre la détresse des enfants du Népal.

Le jugement de la cour d'appel a eu lieu le 2 février 2000 et il a été rendu après délibération le 2 mars. La cour d'appel a prononcé l'adoption plénière.

Lorsque Nishu a su qu'elle était Française et qu'elle porterait désormais le même nom que sa maman, elle a pu trouver sa place dans sa nouvelle vie et ce n'était pas peu dire. Jusqu'à la fin de l'année scolaire, elle a écrit son nom sur tous ses dessins. En l'espace de huit jours, elle a acquis une assurance et une sécurité qu'elle n'avait jamais eues. Sa véritable construction intérieure a commencé au moment où elle a enfin eu une identité. À la maison, la musique népalaise a trouvé une juste place et un nouvel équilibre s'est installé naturellement entre la France et le Népal.

J'ai lu et relu plusieurs fois son nouvel état civil : son nom, prénom, date de naissance et lieu de naissance. À côté du mot « mère », mon nom y était inscrit en toutes lettres. Quelque chose de très fort s'est alors concrétisé en moi : Nishu était vraiment ma fille. C'était écrit, donc légitime. Je suis devenue plus sereine et détendue, je savais aussi qu'avec le temps et beaucoup d'amour, Nishu trouverait son équilibre intérieur. Nous pouvions enfin préparer notre prochain voyage au Népal pour les vacances de printemps, au mois d'avril 2001. Une année d'attente c'est long disait Nishu, mais cela lui laisserait le temps d'être vraiment prête.

Nishu

Depuis un an, j'étais dans l'écriture de mon livre et j'évaluais les événements de ma vie. Je constatais que les enfants avaient joué un grand rôle sur mon chemin. Ce sont eux qui, avec une extrême justesse, avaient su être là au bon moment pour que des rencontres et des liens puissent se mettre en place. Lorsque cela n'était pas suffisant, ils me transmettaient leurs messages par les rêves. C'est ainsi qu'est né ce livre. Je savais bien que je devais l'écrire, mais j'avais si peur ! Trop d'émotions se bousculaient en moi.

Lors d'un rêve éveillé, ils m'ont appelée et m'ont montré un livre avec comme titre : Nishu. Ecris-le pour nous, m'ont-ils suppliée - et le mot n'est pas trop fort. À l'occasion d'une autre séance de méditation, Laxmi fut particulièrement sévère avec moi parce que je n'entendais pas les enfants. Un jour, enfin, j'ai décidé de faire le grand pas. Lors des séances subséquentes, les enfants se sont relayés pour m'encourager et me guider dans l'écriture. Je me suis très vite aperçue que l'écriture m'apaisait et me nourrissait ; c'était devenu vital pour moi de retrouver mon livre chaque jour.

J'ai aussi découvert à quel point j'avais besoin de toucher du doigt les messages de la vie et d'en vérifier l'existence par l'expérience. Ma quête intérieure me poussait à vouloir toujours aller plus loin pour approcher, voire apprivoiser, les manifestations divines qui se mêlent subtilement à notre vie quotidienne.

Comment pourrais-je oublier qu'une nuit de novembre 1994, un rêve est venu bousculer ma vie ! Depuis, mes nuits sont devenues des lieux de rencontres insolites et aussi des moments où d'importants messages me sont confiés. Même si je ne pouvais pas trouver d'explications immédiates à certains de mes rêves, ils se révélèrent par la suite d'une bouleversante synchronie avec ma vie. J'étais à un moment de mon existence où je demandais intérieurement du changement. Je sentais en moi quelque chose de non défini mais qui me poussait à appeler une autre forme de vie.

La première révélation fut celle où j'ai découvert que le petit garçon que j'avais pris en photo au Népal n'était nul autre que l'enfant de mon rêve fait quatre mois plus tôt. Ce fut un choc très violent, le message était très fort et ne laissait aucune place au doute. Heureusement, j'avais des amis et un compagnon très ouverts à qui je pouvais me confier bien qu'ils furent tous, tout aussi abasourdis que moi. Pendant quatre années, j'ai entretenu une correspondance avec Tej et sa famille, les fondations de ma future expérience se mettaient naturellement en place.

L'aboutissement

Mon désir de maternité s'est manifesté lentement et en douceur. Bien que n'ayant aucun dysfonctionnement physique pour concevoir un enfant, je n'ai pas songé une seule seconde à le faire. L'adoption était pour moi la voie naturelle. J'avançais sur un chemin éclairé par les messages de mes nuits. Nishu est alors entrée dans ma vie : tout d'abord par les rêves, puis par la méditation et, enfin, la rencontre dans le plan physique.

Ces moments furent aussi habités par la prise de conscience de ma dualité intérieure : malgré mon profond désir de devenir mère, je ne m'autorisais pas à l'être. Il m'a fallu une énergie considérable pour faire face à cette limitation et à la peur qui me rongeait. J'étais au cœur d'un événement qui allait devenir le moteur d'une initiation spirituelle. Cette adoption au Népal fut un passage initiatique marqué par une lutte acharnée entre la partie de moi qui disait : « Non, tu n'as pas le droit d'être mère », et une autre partie qui criait sa souffrance parce que ce désir lui semblait légitime.

Au printemps 2000, j'ai suivi une formation en sophrologie, échelonnée sur plusieurs mois. Mon avenir professionnel devenait plus clair et je me préparais à devenir thérapeute. Lors d'un stage de sophro-analyse, j'ai pu remonter jusqu'à ma programmation de vie par un état de conscience modifié.

C'est un moment où l'on accepte son programme de vie : choix des parents, de notre famille, de nos rencontres, ainsi que tous les événements de notre vie qui contribueront à notre évolution. Ces choix se font dans la lumière, mon âme étant à ce moment-là en accord total avec ce qui avait été décidé. L'énergie lumineuse de mon âme est ensuite descendue lentement vers la Terre. Puis, j'ai vu très clairement ma conception avec, sur la droite, le spermatozoïde mais pas d'ovule ; c'est une main de lumière qui, sur la gauche, l'a amené de force.

Lorsque j'ai vu le fœtus à quelques mois de gestation, il n'avait plus du tout envie de vivre cette incarnation. Au moment de sa naissance, il a refusé l'avancée vers le passage utérin en s'enroulant le cordon ombilical cinq fois autour du cou, puis en avalant le liquide amniotique. Pour accélérer l'aboutissement de ce périple, l'utilisation des forceps s'était imposée. Pendant les cinq premiers jours de sa vie sur terre, le bébé dû jeûner pour qu'il puisse déglutir tout le poison qu'il avait absorbé. Je ne voulais pas venir, j'étais dans un brouillard très sombre et le manque de lumière me faisait mal.

Durant les jours qui ont suivi cette expérience de conscience modifiée, des images ont continué de me parler. Ces données se bousculaient en moi mais, somme toute, sans grande surprise.

J'ai pu vérifier l'ensemble de ces nouvelles informations auprès de ma mère et elles se révélèrent d'une grande exactitude. Lors de notre conversation, elle a aussi ajouté qu'à sa puberté, elle avait prié pour ne jamais être réglée parce qu'elle ne voulait pas devenir mère. Toutes ces révélations m'ont permis de comprendre pourquoi j'ai dû déployer autant d'énergie pour avoir un enfant. J'avais donc eu à utiliser toutes mes ressources intérieures pour franchir ce passage initiatique. Cette vision de la vie s'inscrit au-delà de l'expérience terrestre ; en effet, c'est dans une dimension spirituelle qu'elle trouve tout son sens. J'ai pu transformer un vécu douloureux en une merveilleuse expérience d'amour et c'est cette dernière qui s'est imprimée dans mes cellules. L'amour est une marque dont l'âme ne se départit jamais ; elle est indélébile.

Durant la première partie de mon existence, j'ai expérimenté la vie terrestre dans une compréhension qui était la mienne. Même si je cherchais à donner un sens plus large à ma vie, je me heurtais à maints obstacles dont je ne pouvais trouver l'explication. Puis, en avançant dans ma quête intérieure, j'ai commencé à approcher, sans m'en rendre compte, une nouvelle forme de conscience. C'est par l'entremise de mon désir de devenir mère que mes dimensions terrestre et spirituelle se sont rejointes. Nishu m'a frayé le chemin et, lorsque j'ai découvert la porte d'entrée du monde spirituel, j'ai tout de suite su qu'il était celui qui donnait un sens à mon existence. Retrouver la lumière pour que mon âme puisse à nouveau se nourrir de l'essence divine me donne l'énergie pour accomplir mon programme de vie, l'évolution que j'ai choisie pour cette vie.

Mes séances de rêve éveillé m'ont ouvert de nouvelles portes et, aujourd'hui, je commence à comprendre le lien que j'ai avec le Népal. Je ne connais pas, bien sûr, tous les pays de notre planète mais pour en avoir visité quelques-uns, je sais que l'énergie de ce pays est unique et indéfinissable. Lors de mes séances, le Népal vient très souvent à moi et il me livre ses secrets. J'ai pu voir juste au-dessus de son plan terrestre un autre monde ; la lumière était là et, en tendant la main, je pouvais la toucher. Cependant, je ne sais pas encore à quoi est relié ce monde de lumière qui rempli le cœur de toutes les âmes de cette contrée lointaine.

Je me suis souvent demandée comment expliquer les difficiles conditions d'existence de ces peuples vivant aux abords du toit du monde ? La réponse fut : l'expérience. Lorsque nous nous relions aux mondes de lumière, nous pouvons vivre notre expérience terrestre à un autre niveau de conscience puisqu'elle s'inscrit dans un programme de vie où l'amour et l'humilité apportent la sagesse dont nous avons besoin pour nous accompagner sur ce chemin. Je n'ai pas pu vivre mon histoire dans cette compréhension, puisqu'il me manquait de nombreux éléments. Je méditais, je travaillais avec la lumière mais je ne savais pas encore que j'étais une élève de l'école de la vie, au sens le plus profond et noble du terme. J'ai donc vécu cette initiation comme un parcours du combattant, celui qui a peur, ce qui a eu pour effet, bien sûr, d'accroître les difficultés.

Quand notre regard s'élève et que nous acceptons de vivre notre expérience terrestre en étant relié à la lumière, elle modifie et met en « lumière » le sens profond de notre existence.

Je sais maintenant que, lors du Nouvel An tibétain au stûpa de Bodhnath, j'ai assisté avec Nishu à la merveilleuse rencontre des énergies terrestres et célestes. Je n'ai jamais pu oublier cet instant de bonheur et de plénitude. Les prières des lamas, auxquelles s'étaient ajouté les odeurs d'encens et les milliers de lampes à huile qui brûlaient, avaient élevé l'énergie de ce lieu sacré et la conscience de chacun pour que nous puissions recevoir la lumière. Depuis, je me relie à cette énergie dans mes méditations et je puise en elle tout ce dont j'ai besoin pour avancer sur mon chemin.

Mon livre était terminé, j'avais en poche mon diplôme de sophrologue et j'allais pouvoir ouvrir mon cabinet de thérapeute. Ma vie affective s'organisait autour d'une famille qui prenait forme et, enfin, nous étions à quelques semaines du départ pour le Népal. Nishu était devenue une merveilleuse petite fille très affectueuse et pleine d'amour, s'exprimant avec une grande facilité. Elle était si heureuse à l'idée de revoir sa famille et son pays. Elle me disait souvent :

- Ils auront toujours une place dans mon cœur, je ne les oublierai jamais.

Nous avions décidé de faire une halte de quatre jours à Jyamire, à la demande de Nishu. Elle voulait retourner voir son village et notre présence lui apporterait toute la sécurité dont elle avait besoin. J'étais tout de même un peu inquiète. Comment allait-elle pouvoir gérer ce retour et, surtout, les retrouvailles avec son père ?

Fin mars 2001, nous sommes atterris à Katmandu, nous avons été accueillis par Sharad, le père de Nishu ; Tej, bien sûr, était aussi au rendez-vous ainsi que Krishna, accompagné de son épouse. Nous observions tous Nishu. Elle s'est jetée dans les bras de son père, tous les deux étaient très émus mais, ce qui nous a le plus frappés, c'est qu'ils semblaient s'être quittés la veille. Enfin, elle retrouvait son pays avec ses odeurs et ses couleurs, tout ce qui lui avait tant manqué. Nous ne sommes restés que quelques jours à Katmandu, juste le temps de nous habituer à son énergie. Nishu ne tenait plus en place, elle avait hâte de revoir son frère et sa sœur et de retrouver son père. La veille du départ, elle nous a dit :

- Je ne sais pas si je vais avoir envie de repartir en France.

Je savais bien que pour ce premier retour au pays, je devais m'attendre à toutes les réactions possibles, mais ce fut quand même difficile à entendre. Baptiste m'a rassurée.

- Nous venons d'arriver, elle est encore dans l'euphorie des retrouvailles mais, d'ici une semaine, Nishu aura sûrement changé d'avis.

J'espérais qu'il dise vrai.

Nous avons loué les services d'un taxi et nous avons pris le chemin du Sud pour Chitwan. Tej, qui avait maintenant dix-neuf ans, devenait un homme. Il nous a accompagné tout au long de notre voyage dans le Sud. À notre arrivée à Jyamire, nous avons été accueillis par tous les enfants du village. Lorsque le frère et la sœur de Nishu sont venus la rejoindre, ce fut un moment très intense. Ils se sont embrassés et se sont serrés très fort dans leurs bras, se caressant les cheveux et se pinçant les joues pour mieux vivre et ressentir dans leurs corps ces retrouvailles. Durant ces quatre journées, ils ne se sont plus quittés, retrouvant des attitudes du passé où Chandra portait Nishu sur son dos et Dinesh entourait les épaules de sa petite sœur d'un bras protecteur.

L'aboutissement

À Jyamire, rien n'avait changé, le temps n'avait laissé aucune empreinte. J'ai pu partager avec Baptiste tout ce vécu, lui montrant l'école du village où Nishu a pu accompagner sa sœur un après-midi. Les voisines étaient elles aussi au rendez-vous, toujours avec le même sourire. Au deuxième jour, j'ai commencé à ressentir l'énergie pesante du village que je connaissais si bien. Baptiste était dans le même état que moi, ce n'était pas la grande forme.

Le soir, nous étions tous assis devant la maison de Laxmi et nous discutions d'un sujet qui commençait à terroriser les villageois. Des maoïstes semaient la terreur dans plusieurs régions du Népal et personne ne savait vraiment qui ils étaient. Le gouvernement semblait totalement dépassé par ce climat de violence qui montait dans le pays. Les Népalais sont un peuple pacifiste, ils attendaient que leurs dirigeants règlent ce problème sans avoir à faire intervenir l'armée, bien que le roi Birendra y ait été favorable. Une grève générale contre les maoïstes nous a bloqués pendant deux journées au village, aucun véhicule n'ayant le droit de circuler.

Le dernier jour, Chandra nous a proposé de nous rendre à pieds, à deux kilomètres de Jyamire, pour y rencontrer les grands-parents maternels de Nishu. Voyant notre étonnement, elle nous a expliqué qu'ils avaient su que Nishu avait été adoptée et, qu'après son départ pour la France, ils avaient pris contact avec elle pour la revoir ainsi que son frère. J'avais fait des pieds et des mains en 1998 pour les retrouver sans y être parvenu. C'était encore un merveilleux signe que le ciel nous envoyait. Sharad ne s'opposait pas à ce que ses enfants renouent des liens avec leurs grands-parents maternels mais la culture népalaise lui interdisait tout contact avec sa belle-famille depuis que son ex-épouse l'avait quitté. Nous étions attendus le soir même à dix-sept heures au village voisin. Tout avait été parfaitement organisé.

La rencontre fut très émouvante, le grand-père a beaucoup pleuré lorsqu'il a pris sa petite-fille dans ses bras. Nishu a pu faire la connaissance de son arrière grand-mère, de sa grand-mère, de cinq tantes et d'un oncle qui avait son âge. Elle a vécu ce moment avec beaucoup de détachement, acceptant de passer de bras en bras et d'être maquillée pour une photo souvenir. En partant, je lui ai demandé ce qu'elle avait ressenti d'avoir retrouvé toute la famille de Shantu. Elle a hésité, puis elle m'a répondu :

- C'était ma mère que je voulais voir et elle n'y était pas.

- Tu sais Nishu, la vie vient de te faire un merveilleux cadeau parce qu'en retrouvant sa famille, tu t'approches d'elle. Ce n'est pas encore le moment pour toi de la revoir mais, un jour, je sais que cela sera possible.

Je ne lui ai pas dit que son grand-père avait refusé de répondre à mes questions concernant Shantu, elle était le déshonneur de la famille.

Je n'ai jamais pu quitter ce village sans émotion et, ce matin étant le jour du départ, nous pleurions tous excepté Nishu. La séparation fut très difficile pour Chandra. Nous lui avons promis qu'elle nous rejoindrait avec son père et son frère pour quelques jours à Katmandu avant notre départ. Laxmi, Nita et la grand-mère nous ont offert une provision de cumin pour deux ans ; c'est le délai maximum qu'elles nous ont accordé pour notre prochaine visite. Nous avons pris la route pour Pokkhara où nous devions passer quelques jours. Nishu fut très silencieuse durant le trajet et les nuits qui ont suivi furent perturbées, elle rêvait beaucoup de sa sœur. Nous avions programmé de passer la dernière semaine de notre séjour à Katmandu, ce qui nous a permis d'organiser la venue de Chandra, Dinesh et de leur père.

Nishu nous a annoncé un matin qu'elle était très heureuse de rentrer en France parce que la vie au Népal y était trop difficile. Nous avons beaucoup discuté de ce qui avait pu la déstabiliser ; les trois semaines passées dans son pays avaient suffi pour faire la part des choses.

Dans la rue, la misère et la maladie sont sous nos yeux ; impossible d'y échapper. J'ai souvent baissé le regard pour ne pas voir l'insoutenable et, pourtant, c'était la vie. Baptiste a été lui aussi soumis à toutes ces émotions qui nous secouent sans nous prévenir et sans que l'on puisse les expliquer. L'énergie ne nous prévient pas ; elle nous prend de force, que ce soit à Jyamire ou à Katmandu. On peut croiser dans la rue le plus beau des sourires, on cherche alors son regard et les larmes montent et s'écoulent parce que quelque chose d'infiniment profond et subtil s'est manifesté en quelques secondes et nous a bouleversés. Lors de mon précédent voyage au Népal, Nishu ne m'avait jamais posé de questions sur la souffrance humaine parce qu'elle la côtoyait depuis toujours. Trois années plus tard, c'est ce qui l'a le plus interpellée.

- Mon pays, je l'aime et il restera dans mon cœur, je sais que j'aurai toujours besoin d'y revenir, mais ma vie est en France. Ici, c'est trop dur.

Elle avait tout dit, ce fut pour elle la meilleure des thérapies.

Lors de la visite de Sharad, accompagné de Chandra et Dinesh, nous nous sommes tous rendus à Pashupati Nath, une ville de pèlerinage hindou. Ils furent très émus d'entendre notre proposition parce que Pashupati Nath est l'un des centres les plus sacrés du Népal. C'était la première fois que Chandra et Dinesh s'y rendaient. Ce jour-là, une crémation était en attente au bord de la rivière sacrée Bagmati. Nishu fut très intéressée par la cérémonie qui se préparait sous ses yeux ; quelques mètres plus loin, un autre corps se consumait, la crémation ayant eu lieu tôt le matin. Ces images ne choquaient pas son frère et sa sœur, elles appartenaient à leur vie. Nishu a approché la pensée de la mort en donnant la main à Chandra et à Dinesh ; ensuite, ils se sont rendus au temple pour prier leurs divinités Shiva et Ganesh. Je les ai attendus au bord de la rivière avec Baptiste, l'accès au temple étant réservé aux Népalais de la religion hindoue. Ce qui s'est passé dans ce temple, je ne le saurai jamais, mais le plus important pour elle fut le partage d'une prière avec Chandra, Dinesh et son père. Dans ce court instant, ils lui ont transmis ce qui devait l'être. Sharad nous a remerciés plusieurs fois d'avoir partagé avec nous une si belle journée. Chandra et Dinesh ont été aussi très touchés par cette première visite à Pashupatinath avec leur petite sœur.

Nous avons quitté le Népal avec beaucoup de tristesse, Nishu était la seule à être très sereine. De retour en France, elle a immédiatement réintégré sa place à la maison, elle était ici chez elle. Ce voyage l'a aidée à se détacher de son pays pour qu'elle puisse finir sa profonde transformation intérieure. Je n'étais pas seule sur le chemin de la mutation, Nishu vivait la sienne et elle était loin d'être facile.

Je m'approchais de l'aboutissement de mon expérience initiatique et j'avais du mal à inscrire le mot fin. Pendant plusieurs semaines, ma pensée a continué de voyager à Katmandu et au village. C'est à ce moment-là que l'envie d'un deuxième enfant a commencé à se manifester en moi. Tout d'abord, je me suis dit que ce n'était pas du tout raisonnable, que c'était même de la folie. Avec regret, je me conseillais d'abandonner cette idée lorsqu'une femme, qui n'avait pas encore terminé l'adoption de sa fille d'origine népalaise, m'a appelée pour me demander des renseignements sur la procédure du jugement d'adoption. Elle m'a confié qu'elle venait d'obtenir l'agrément pour une deuxième adoption. Ressentant la maturité de sa voix, je lui ai demandé son âge et elle m'a répondu qu'elle venait d'avoir cinquante-cinq ans. Alors, je me suis dit : « Pourquoi pas moi ? » Dans la même semaine, j'ai eu au téléphone une autre femme qui avait aussi adopté une petite fille népalaise. Dans la discussion, elle m'a raconté la façon dont le Népal était entré dans sa vie à quarante-neuf ans. Le frein était levé : j'avais quarante-trois ans, tout était possible. Je pouvais aller un peu plus loin dans l'introspection intérieure.

En adoptant un deuxième enfant au Népal, je savais que ce serait un garçon, la loi népalaise n'autorisant pas l'adoption d'un deuxième enfant du même sexe que le premier. Nishu m'avait souvent demandé un petit frère ou une petite sœur. Chaque fois, je lui avais répondu que ce n'était pas possible. Je ne pouvais pas imaginer devoir revivre une seconde expérience du genre, la première ayant été trop éprouvante. Je me suis vite rendu compte que ce n'était pas la vraie raison. Pour entreprendre une nouvelle démarche, il fallait que la précédente expérience soit comprise et surtout intégrée. C'est pour cette raison que, jusque-là, je n'avais pas encore été disponible mais l'énergie venait, je la sentais monter en moi avec force.

Une nuit, j'ai eu la réponse sur toutes ces questions intérieures qui ne demandaient en fait qu'un éclaircissement. J'ai rêvé qu'un avion volait entre Katmandu et Paris avec à son bord trois personnes. Il y avait deux lamas tibétains vêtus de leur robe pourpre assis au centre de l'avion et, au milieu d'eux, un petit garçon de trois ou quatre ans qui me regardait en souriant. À mon réveil, j'ai longuement pensé à ce merveilleux songe tout en gardant mes yeux fermés. Je voulais être sûre d'avoir tout vu et tout retenu. J'étais prête à retrouver ce petit garçon qui vivait quelque part au Népal. Mon chemin passait inévitablement par ce pays, et ça me rassurait car j'avais besoin de ce lien.

Lorsque j'ai raconté mon rêve à Nishu et que je lui ai annoncé que nous allions démarrer une procédure d'adoption pour un petit frère, elle était aux anges et n'a cessé de parler de lui. Pour cette future adoption, il n'était pas question que je me rende seule au Népal, nous irions tous ensemble.

Ce petit garçon me contacte souvent lors de mes rêves éveillés et de mes méditations. J'apprends à le connaître. Cette rencontre est très différente de celle de Nishu, je suis déjà mère et je l'accueille avec une grande sérénité. La perte de mon frère lorsque j'étais enfant avait posé un interdit très fort sur l'éventualité d'avoir un fils parce que je l'associais à la mort. Adopter un petit garçon est vraiment la réconciliation avec mon passé, il n'est plus une ombre mais une merveilleuse étoile qui me guide sur mon chemin.

Chaque expérience nous prépare à vivre la suivante, il ne sert à rien de vouloir brûler les étapes parce que la vie sait nous ramener à l'essentiel : notre chemin. Il est balisé de multiples messages que le ciel nous envoie mais nous avons oublié de les entendre. Quand nous prenons le temps d'écouter notre cœur et de nous relier aux énergies célestes, la lumière éclaire alors toute notre vie et nous ouvre les portes vers un autre monde, une autre conscience.

Le soir, avant de s'endormir, Nishu me demande souvent de lui parler de sa vie. Je m'allonge sur son lit à ses côtés et je lui raconte :

- Il était une fois une petite fille qui avait besoin d'une maman et cette maman cherchait désespérément un enfant à aimer. Curieusement, cette petite fille lui rendait visite la nuit pendant qu'elle dormait, elle lui envoyait aussi pleins de petits signes d'amour pour que leurs chemins se croisent. Un jour, elles se sont retrouvées dans un pays très lointain où les montagnes sont si grandes qu'elles semblent toucher le ciel. C'est ainsi qu'est née une merveilleuse histoire d'amour, entre le ciel et la terre.

Si vous souhaitez aider un enfant au Népal

ou soutenir les actions de l'association,

vous pouvez contacter :

Au Népal :

Childrens' Home

G . P. O. Box N° - 305

Katmandu

E. mail : chome@ccsl.com.np

Web : childrenshome.org.np

En France :

Les amis de Childrens' Home.

E.mail : childrenshome@free.fr

Web : http : // childrenshome.free.fr

PARU AUX
ÉDITIONS DE L'ÊTRE

C.P. 394 Succ. Bellefeuille, Saint-Jérôme, Québec J5L 2N4 CANADA
Téléphone et télécopieur : 450-432-7480,
Courriel : odettepelletier@sympatico.ca
Site web : http://odettepelletier.com

Titre: Refaire les connexion, 256 pages
Auteure: Odette Pelletier

Par un style personnel et vivant, l'auteure interpelle le lecteur et met en lumière de façon claire et sans détour le fonctionnement des sept lois universelles de la vie, à savoir la loi de responsabilité, causalité, attraction, résonance, analogie, compensation et réincarnation.

Ponctué d'exemples et de témoignages parfois étonnants, cet ouvrage apporte une structure de référence spirituelle adaptée à la nouvelle conscience en émergence en chacun de nous. L'auteure y donne une méthode pour identifier et modifier les croyances qui interfèrent avec votre épanouissement.

Viennent aussi s'y greffer des sujets tels que les connexions affectives haut de gamme et bas de gamme, les réactions face au changement, la dualité naissance et mort, la souffrance et les raisons de sa présence dans notre vie et les notions de l'éthique et du pouvoir personnel.

Offert comme un coffre à outils, ce livre permet de cerner et comprendre les causes des circonstances désagréables qui croisent votre route, ce qui vous confère le pouvoir de les changer.

Titre: Retrouver l'essentiel, 307 pages
Auteure: Francine Jeanmonod

Les êtres de Lumière qui sont à l'origine des tex-
tes de ce livre veulent nous aider à intégrer les
transformations de notre planète à notre vie quotidienne. Leurs messages, canalisés par Francine JEANMONOD, nous permettent de comprendre à quel point notre évolution ne dépend
que de nous-même. En abordant des thèmes
tels que la naissance, la mort, l'amour, la violence et l'éducation, ils nous invitent à une per-
ception de notre monde plus subtile, plus juste et pleine de bon
sens.

Cette vision nous aide non seulement à garder les pieds sur Terre,
à comprendre qui nous sommes réellement, mais aussi à retrouver la clé de l'ancienne sagesse perdue afin de nous connecter
avec ce qu'il y a de plus précieux en nous: notre être essentiel.
L'évidence et la simplicité des messages en font un précieux ins-
trument de compréhension face à la complexité de notre existence.

Ce livre s'adresse à tous. Il est un appel à l'éveil de notre dimension
spirituelle et à la découverte des potentialités enfouies en nous. La
nature même des messages ainsi que l'énergie qu'ils apportent invitent chacun de nous à être réceptif au monde nouveau qui se
met en place. Ils nous incitent à considérer notre présence sur la
Terre avec confiance, à nous sentir véritablement illimités, libres
de nos choix et seuls créateurs de notre réalité.

Titre: Ouverture libératrice, 320 pages
Auteure: Francine Jeanmonod

"Vous êtes les artisans de l'évolution de la Terre. Retrouvez votre véritable identité, la conscience de votre vraie nature divine, la conscience de votre pouvoir. Ouvrez votre cœur et votre conscience pour aider le monde à changer.

Quant à nous, notre rôle est de vous indiquer le chemin lorsque vous avez besoin d'être guidés, de vous éclairer quand vous vous trompez. Nous nous manifestons quand l'énergie est bloquée, pour éveiller votre conscience et attirer votre attention sur les éléments qui entravent votre progression. Mais nous ne sommes pas là pour faire le travail! En qualité d'âme incarnée, chacun de vous est responsable de ce qui se passe sur la Terre."

Ce message, maints émissaires de l'invisible le rappellent depuis quelques années avec insistance, un peu partout dans le monde. Ce n'est pas nouveau. À différents stades de l'histoire de l'humanité, la Tradition relate la manifestation de ces êtres, souvent issus du plan angélique, venus nous aider à franchir les étapes cruciales de notre évolution terrestre. Ainsi en est-il aujourd'hui encore, tandis que nous traversons une période particulièrement délicate. Plus que jamais, nous avons besoin de comprendre! Comprendre notre existence, mais aussi les changements qui bouleversent nos vies et la planète tout entière. C'est un message d'espoir, de confiance et d'amour que nous livrent ici les Êtres de Lumière, canalisés par Francine Jeanmonod.

Titre: Espoir face au cancer, 96 pages
Auteure: Lucie Labrèche

Lucie Labrèche est épouse et mère de deux merveilleuses filles. En 1994, à l'âge de 29 ans, elle fut diagnostiquée avec un cancer du cerveau en phase terminale. Cette expérience changea sa vie à tout jamais. Entourée des siens et de leur amour inconditionnel, elle a choisi la vie en y mordant à pleines dents et en ne se laissant pas abattre par la pente abrupte à gravir. Convaincue de sa guérison, elle a poursuivi la réalisation de ses rêves malgré des moments très difficiles, se promettant bien de livrer un message d'espoir à ceux traversant la même épreuve. Après huit années de cheminement, c'est avec un profond sentiment de joie qu'elle réalise aujourd'hui l'un d'eux.

Par ce livre, Lucie Labrèche souhaite aider ceux qui étant confrontés à cette maladie, ont besoin d'entendre qu'il y a une "vie" après le cancer. Son expérience est un vibrant message de courage et de persévérance. Elle avoue qu'elle aurait aimé gagner la santé comme on gagne le gros lot à la loterie ! En réalité, elle doit sa victoire face au cancer à son humour, sa détermination et à ses pensées qu'elle a su garder positives devant les nombreux et difficiles traitements de radiothérapie et de chimiothérapie. Devant les pronostiques très peu favorables, jamais elle ne s'est avoué vaincue, finie.

Cet événement électrochoc l'a obligée à revoir sa vie et la Vie et à reconsidérer certaines valeurs. Ayant appris à discerner l'essentiel du superficiel, c'est avec beaucoup de candeur et de sincérité qu'elle raconte son cheminement. À travers sa touche humoristique caractéristique, Lucie partage de quelle façon elle a composé avec les peurs et angoisses que le mot "cancer" suscite dès qu'il est prononcé.

Titre: Mes retrouvailles, 144 pages
Auteure: Marilou Savoie

Pour certains, ce livre sera un message d'amour et de lumière; pour d'autres, un partage et un témoignage. Marilou Savoie n'avait qu'une raison pour l'écrire: transmettre l'amour et la lumière qui se sont introduits dans sa vie au cours d'une expérience particulière, notamment celle de l'ouverture de sa capacité à canaliser par télépathie des enseignements émanant des Êtres qui agissent comme guides pour l'humanité. Par son partage, l'auteure souhaite que vous puissiez vous identifier au message livré, ouvrir votre cœur et vous laisser toucher, comme elle-même l'a été !

Les sept dernières années de sa vie ont été pour elle des moments d'introspection et de découvertes à tous les niveaux. Ceux-ci lui ont permis de se découvrir, de s'apprivoiser, se comprendre, s'affirmer, s'aimer, se guérir et à se souvenir de qui elle est véritablement.

Cette renaissance a ouvert toute grande la voie à la communion avec son Âme. Elle a fait le " pont " avec son Âme ! Le vide intérieur ressenti durant toute sa vie s'est estompé car comblé de lumière, de confiance et d'amour. Marilou nous livre aussi les moments de doutes par lesquels elle a passé et ses peurs vis-à-vis la réaction de ses proches en son endroit.

Avant de vivre l'expérience de canalisation, Marilou pensait que l'Âme avait besoin d'être guérie. Maintenant, elle sait que l'Âme est la parcelle de Dieu en nous. Elle est pure, divine et source de guérison. Elle demeure silencieuse jusqu'à ce que les corps physique, émotionnel et mental se taisent un peu et la laissent se confier à notre Être. À partir de ce moment, elle nous guide, nous confie notre Vérité et les secrets de la vie. Elle nous assiste même lorsque le temps dans notre vie est à l'orage.

Ce livre transmet un message d'espoir à ceux qui sont à la recherche du sens de leur vie. Vous serez touché par sa candeur, sa sincérité et spontanéité!